00327749

D0101364

¡ÉXITO!

Brian Young, Magdalena Cosgrave and Mary O'Sullivan

Acknowledgements

The authors would like to thank the following for their time and assistance: Jill Bowden, Elaine Green, Heather Harpin, Cristóbal Lozano Pozo, Jordi Siuraneta and Judith Young.

The authors and publishers are grateful to the following for the use of the company logos reproduced in this book: Trasmediterranea, p.140; Iberia, p.140; RENFE, p.140.

The authors and publishers would also like to thank the following for permission to reproduce photographs: Robert Harding, pp.4, 126, 185 ; Life File, pp.1, 44, 52, 69, 106, 140, 156, 174, 190, 196, 197, 225, 229, 239, 240, 242; Corbis, pp.4, 6, 69, 126, 155.

Order queries: please contact Bookpoint Ltd, 39 Milton Park, Abingdon, Oxon. OX14 4TD. Telephone (+44) 01235 400414, Fax (+44) 01235 400454. Lines open 9.00 - 6.00 Monday to Saturday; 24hr message answering service. Email address: orders@bookpoint.co.uk

A catalogue record for this title is available from The British Library

ISBN 0 340 67976 X

First published 1998
Impression number   10 9 8 7 6 5 4 3 2 1
Year   2002 2001 2000 1999 1998

Copyright © 1998 Brian Young, Magdalena Cosgrave and Mary O'Sullivan.

All rights reserved. No part of this publication may be reproduced or transmitted in any form or by any means, electronic or mechanical, including photocopy, recording, or any information storage and retrieval system, without permission in writing from the publisher or under licence from the Copyright Licensing Agency Limited. Further details of such licences (for reprographic reproduction) may be obtained from the Copyright Licensing Agency Limited, of 90 Tottenham Court Road, London W1P 9HE.

Typeset by Wearset, Boldon, Tyne and Wear.
Printed in Great Britain for Hodder & Stoughton Educational, a division of Hodder Headline Plc, 338 Euston Road, London NW1 3BH by Scotprint, Musselburgh, Scotland

Índice de materias   Contents

27749
465400

Introducción

¡Bienvenido!

Welcome to *¡Éxito!*, a two-stage Spanish course for students in Further and Higher Education. You will find this course especially useful if you are working on your own or have little contact time with a teacher.

Stage One takes you to a language level approximately equivalent to the Higher Tier of GCSE, NVQ Level 2, or the Institute of Linguists General Certificate.

Stage Two will take you to a level of language comparable to Advanced Level GCE, NVQ Level 3, or the Institute of Linguists Advanced Certificate Part 2.

You will find the NVQ Levels indicated beside the activities where appropriate. In Book 1, the level is either 1 or 2. For variety, there are some Level 1 tasks throughout the first book.

El español: Una lengua mundial
Spanish: A world language

¡Éxito! will enable you to learn a major world language in an enjoyable and thorough way. Spanish, with over 325 million speakers in 23 countries, is the third most widely spoken language in the world. In Latin America and the USA, the number of speakers is growing rapidly.

Una fiesta en América Latina.
A festival in Latin America.

Una lengua fácil   An easy language

Learning a language is never easy, but Spanish is easier than many. Here are some of the reasons for this:

You already know some Spanish! You may be familiar with these words from songs or Westerns:

adiós   amigo   fiesta   señorita   hasta luego

or you may have met these on your holidays or when travelling:

buenos días   buenas noches   gracias   tapas   por favor   siesta
plaza   paella   vino   sangría

These place-names all have a Spanish origin; can you work out their meaning?

Los Angeles, El Paso, Florida, Nevada, Puerto Rico, Costa Rica

To check your answers, see the Solutions section in the Support Book accompanying this course. (Whenever you see this symbol, you should look at the Solutions section.) Where there are various possible answers for an activity a model anwer (**modelo**) is given. Your answer may vary but should be similar.

The following words have entered the English language from Spanish. Their original Spanish meanings are in brackets:

> lassoo (bow, knot), arena (sand), mosquito (little fly), patio (courtyard), vamoose (let's go!)

To make things even easier, you will find that English and Spanish have many words in common, because Spanish and 60 per cent of English are derived from Latin. Here are some examples:

> hotel aeropuerto autobús banco cafetería policía restaurante centro bar cine hospital kilómetro museo teatro televisión tenis vídeo guitarra música clásica música popular

So there are a number of Spanish words with which you are probably already familiar.

What is more, you will find that the structure of Spanish grammar is very logical, and the sounds of the language are almost all found in English. Finally, one great advantage: with few exceptions, Spanish is spelled as it is pronounced. The general rule is: one sound per letter, and one letter per sound.

¡Éxito! means *Success*! The following explanation of the course structure and hints on how to use the course will help you maximise your success.

Each book consists of 16 units. In Book 1 there is a revision section after every third unit up to *Unidad 12* and then a final revision section for the last four units. There is also a Grammar Summary and a bilingual glossary. The Support Book which accompanies this course contains a transcripts section (texts of recordings for which the text does not appear in the main book) and a solutions section.

It is important to work systematically through the material, including all the revision sections. Make sure you achieve the objectives of one unit before you move on to the next.

Structure of each unit

- **Tus objetivos** – Your objectives for the unit
- **Diálogos** – Dialogues, where you meet the new language

La España moderna: Madrid.
Modern Spain: Madrid.

- **Palabra por palabra** – A bilingual list of key vocabulary for you to learn
- **Las frases clave** – Key sentences which demonstrate the grammar rules, followed by opportunities for you to put them into practice. By learning these sentences, you acquire the means to make many more. The explanation and practice of these grammar rules is a key feature of the course.
- **Lectura** – Reading practice
- **¡Escucha!** – Listening practice
- **La pronunciación** – Pronunciation practice
- **La vida hispánica** – Aspects of everyday life in Spain and Latin America
- **¡Estás en España!** – Authentic speaking and writing activities where you can use the language you have learned more freely and assess your overall mastery of the material in the unit
- **¿Éxito?** – Assessment activites for you to check your progress, especially in speaking and writing, in a less structured way
- **¡Socorro!** – Further help with things with which you may still be having trouble.

¿Cómo aprender una lengua?
How to learn a language?

Learning a language, even on your own, need not be a 'slog' or a demoralising experience, if you follow these golden rules:

- Be systematic in your use of time. 'Little and often' is better than long, widely-spaced sessions. Many people find that at least half an hour every day is best for them.
- Use methods for memorising words, phrases and structures which work for you. (There is more advice on this on pages 6–7).
- Regular practice is important in all four skills (reading, writing, listening and speaking). Listening is vital, so don't neglect the recordings; the more often you play them, even if it's only in the background, the better.
- Revise regularly. The **Repaso** sections in *¡Éxito!* will help you to do this.
- Go beyond *¡Éxito!*. Seek out Spanish newspapers, magazines, books or television programmes on cable or satellite.
- Try to meet and speak to Spanish people in your own

La calle de los cines, Buenos Aires.
The street of cinemas, Buenos Aires.

country. You can go to places where you are likely to meet them; Spanish restaurants or **tapas** bars, for example.

- If you meet Spanish-speaking people, speak to them, using as much Spanish as you can. When you come across Spanish words or expressions which are new to you, note them down and try to find an opportunity to use them.
- You could write to the Spanish Embassy or the Spanish Tourist Office for further information about Spain and Spanish life.
- If you possibly can, try to visit a Spanish-speaking country. There is no better way to practise the language, and to use what you have learned.
- When you feel that you have achieved something substantial, reward yourself. Take a walk, go to the cinema, or buy yourself a present!

You will have seen from the title of the book *¡Éxito!* and the title of this section, *¿Cómo aprender una lengua?*, that Spanish puts an upside-down exclamation mark or question mark at the beginning of an exclamation or a question, as well as an ordinary one at the end. (It's worth practising writing lots of upside-down question marks; be careful not to produce a mirror-image!)

Información básica   Basic information

La pronunciación
Pronunciation

Each unit of *¡Éxito! Book 1* has a pronunciation section, where you can learn and practise the sounds of Spanish in detail, and learn about Spanish-American pronunciation. To get you going, here is a summary of the sounds of standard Spanish (*castellano*). If you listen to the recording, you can hear and repeat these words. (Whenever you see this symbol,  you should listen to the recording.)

Vowels: **a**: a as in *cat*: **casa** (house)   **o**: o as in not: **ocho** (eight)
　　　　e: e as in *get*: **este** (this)　　**u**: oo as in *too*: **fruta** (fruit)
　　　　i: ee as in *keen*: **disco** (record)

Consonants: (if a letter is not listed here, it is similar to the English.)

c before e or i sounds like th as in *thin*: **centro** (centre), **cine** (cinema)

c before any other letter is like the c in *cup*: **como** (like)

g before e or i sounds like the ch in Scottish *loch*, or German *nach*: **región** (region)

g before any other letter is like the g in *gate*: **gracias** (thank you)

h is silent: **hospital** (hospital)

j is always like the ch in Scottish *loch*: **trabajar** (to work)

ll: y as in *you*: **apellido** (surname)

ñ (n tilde): ny as in *canyon*: **España** (Spain)

qu: k as in *king*: **¿Qué?** (What?)

r has a 'flapping' sound: **tren** (train)

rr has a rattling sound. (Don't worry if you can't do this sound; just say the rr as strongly as you can.) **Correos** (post office)

v: b as in *boy*: **vamos a ver** (let's see)

y on its own or at the end of a word sounds like ee: **y** (and), **hay** (there is)

y when not at the end of a word sounds like the y in *yes*: **playa** (beach)

z: th as in *thin*: **plaza** (square)

If you see an accent (´) on a vowel, you say that vowel more strongly: **café** (coffee), **película** (film).

Here's a useful way of improving your pronunciation. Whenever you tackle one of the dialogues in *¡Éxito!*, listen to the recording while you follow the words in the book.

Play the recording again, pause the tape after each sentence, and try to imitate the pronunciation and intonation of the speakers. Then play the recording once more, and try to read the dialogue aloud at the same time as the speakers. Finally, try reading the dialogue aloud without the recording. So, say the dialogue *after*, *with* and *without* the speakers.

En el sur de España. In the south of Spain.

Palabras y frases
Words and phrases

The transcripts of the listening comprehension passages are in the **Transcripts** section 🎧 of the Support Book. Consult the transcript only after doing the activity to see what the text actually looks like and to practise saying it while you listen to the recording again.

If you can master the art of memorising language, you will save yourself a great deal of hard work! For example, when you are learning the words or structures in the **Palabra por palabra** and **Las frases clave** sections, the golden rule is not just to read through the lists several times, but to *do something* with the phrases, (for example make new sentences with them.) Although this may take more time, you will find that it pays handsome dividends, because it helps to fix the phrases in your long-term memory.

Different people have different ways of memorising things. Here are some ideas; try them out as you work through *¡Éxito!*, and stick to the methods which work best for you.

- Always try to learn Spanish words in phrases rather than singly. For example, include the word for the: *la clase* = the class.
- Cover the English side of the word list, look at the Spanish, and try to say the English.
- Then do this the other way round.
- Copy the Spanish words or phrases out in the order of their usefulness to you.
- Copy them out in categories; for example colours, rooms, furniture; or nouns, verbs, adjectives, etc.
- Give yourself two minutes to learn about 20 Spanish words, then cover them and see how many you can write from memory, with their meanings, in one minute. Keep doing this until you can write them all.
- Try to make sentences in Spanish using as many of the words and phrases as you can.
- Write a Spanish word for a topic, for example **vacaciones**, *holidays*. Then try to write as many more Spanish words connected with that topic as you can.
- Take a Spanish phrase and see how many variations you can make of it.
- Copy a few Spanish sentences, and blank out some words with erasing fluid. Then, a little later, try to write in the missing words.
- Write down just the first letters of a few Spanish phrases. Later, try to write the complete words.
- Draw symbols or little pictures to illustrate the words, then try to write under each symbol the Spanish word which goes with it.
- Write about a dozen Spanish words on little pieces of paper. Then write the English meanings on another set of pieces of paper. Jumble both sets, then try to match them up, as if you were playing 'Snap'.
- For 'rogue' words which simply will not stick, try writing each one, with its meaning, on a piece of paper. Then stick the pieces of paper where you will see them, for example in your wallet or purse, on the ceiling above your bed, over the sink, or behind the toilet door.
- Again, for 'rogue' words, try making mental pictures by word association. For example, some people remember that **mesa** means *table* by imagining a table with a 'mess' of papers on it. If this works for you, do it.
- Always ensure you learn the sentences in the **Las frases clave** sections. These will provide the key patterns which will enable you to say many more things.

Always try to work out the meanings of Spanish words you come across in ¡Éxito!, before looking them up in the Glossary. Conversely, if you have forgotten a Spanish word you need, try to think of another which will do the job. If you are still stuck, use the bilingual Glossary.

As you progress through the early stages of ¡Éxito! you will see and hear phrases like the ones below. Try to learn them now, by listening to the recording as you look at them, then by listening again and saying them in English without looking at them.

Las instrucciones
Instructions

escucha	listen
mira	look
repite	repeat
lee	read
di	say
habla	speak
escribe	write
elige	choose
empareja las frases	match the sentences
repite las palabras	repeat the words
lee el diálogo	read the dialogue
escribe en español	write in Spanish
copia la frase	copy the sentence
por ejemplo	for example
página	page

Palabras indispensables
Essential words

As you progress through the book, more of the instructions will be in Spanish only.

There are some common Spanish words which you will meet many times. It is worth your while to become familiar with them now. Keep looking at them as you listen to the recording, then repeat them after the recording.

y	and	en	in, on, at
a	to	o	or
de	of, from	pero	but

La gramática
Grammar

How confident are you about basic grammatical terms? If you think that you need to brush up on these, read these explanations and try the activity below.

Nouns are words for things or people: This *lady* is *Juana*. She comes from my *town*.
Pronouns take the place of nouns: Juana? *I* don't know *her*.
Adjectives describe nouns: I want a teacher who is *tall*, *dark*, and *Spanish*!

Prepositions state where something or somebody is in space or time: I am waiting *at* the bus-stop *with* my friend; we'll try to get home *before* the rush-hour.

Verbs talk about actions or states: They *study* Spanish, and they *are* very good students.

Adverbs add more information about actions (verbs), by explaining *when*, *how* or *where*: *Sometimes* I stay *here* in the evening. They also describe adjectives: That is *completely* untrue.

To see how good you are on basic grammatical terms, read the passage below. After each word in italics, write the category it falls into. The first one is done for you.

Helen (**noun**) *is* (..................) a student *in* (..................) the Spanish *class* (..................). *She* (..................) is *Australian*, (..................) and she *already* (..................) *speaks* (..................) with a *good* (..................) accent. *Occasionally* (..................) she *makes* (..................) mistakes, but she won't let that stop *her* (..................)!

1 *unidad uno*

¡Hola! ¿Qué tal?

Hello! How are you?

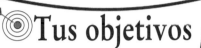

Tus objetivos

1 Saying who you are

2 Saying where you come from

3 Saying what you do for a living and where you work or study

① Saying who you are

1   **Me llamo ...** *I'm called ...*

Read the conversation to see how much you can understand: check this by looking at the **Palabra por palabra** section. Then play the recording to hear what it sounds like. Practise your pronunciation by listening again and repeating each sentence by pausing the tape. Then play it once more, and say the Spanish at the same time as the speakers.

Lee, escucha y repite.

Profesora:	¡Hola! Buenos días. ¿Qué tal? Yo soy la profesora de español.
Estudiantes:	¡Buenos días! ¿Qué tal?
Profesora:	Muy bien. Me llamo María Pérez. Mi nombre es María y mi apellido es Pérez. ¿Y tú, cómo te llamas?
Pierre:	Mi nombre es Pierre, y mi apellido es Duras. Me llamo Pierre Duras.
Profesora:	¿Y tú, tu nombre es Clare?
Clare:	Sí, mi nombre es Clare y mi apellido es Brown.
Profesora:	¿Y tú, tu nombre es Giuseppe?
Marco:	No, mi nombre es Marco.
Profesora:	¿Y tu apellido es Calvi?
Marco:	No, mi apellido no es Calvi, es Polo.

Palabra por palabra

¿qué tal?	how are you?	el nombre	name
yo soy	I am	el apellido	surname
la profesora	the teacher	es	is
de español	of Spanish	¿y tú?	and you?
me llamo	I'm called	tu	your
¿cómo te llamas?	what is your name?	no es	is not
mi	my		

Las frases clave

Here are some key sentences based on the conversation. Learn them, so you can use them as a base to make new ones.

Yo soy la profesora de español.	I am the Spanish teacher.
Me llamo María Pérez.	I'm called María Pérez.
Mi nombre es María y mi apellido es Pérez.	My name is María and my surname is Pérez.
¿Cómo te llamas?	What is your name?
No, mi nombre es Marco.	No, my name is Marco.
No, mi apellido no es Calvi.	No, my surname is not Calvi.

2 Mi nombre

Look at these sentences in Spanish and write them out in English.

Lee las frases y escríbelas en inglés.

1. Mi nombre es Ana. ....
2. Y mi apellido es Torres. ....
3. Mi apellido no es Ferrer, es Torres. ....
4. ¿Y tú, cómo te llamas? ....

Now, see if you can say and write the following sentences in Spanish.

Di y escribe las frases en español.

5. I'm called Joe Brown. ....
6. My name is Joe. ....
7. My surname is not Bowen, it's Brown. ....
8. And what's your name? ....

◆❷ Saying where you come from

3 ¿De dónde eres?
Where are you from?

Read the dialogue. Then play it right through, while you look at the Spanish. Next, repeat the sentences after the speakers, then with the speakers. Finally, try saying the Spanish without the recording.

Lee, escucha y repite el diálogo.

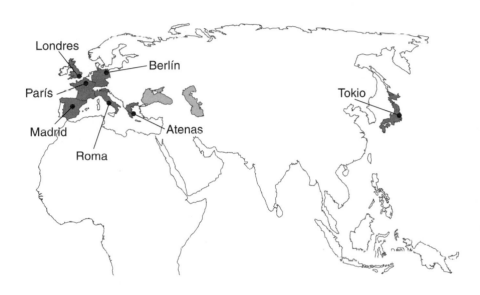

Profesora:	Yo soy española. Clare ¿de dónde eres tú?
Clare:	Yo soy de Londres, soy inglesa.
Profesora:	¿Y tú, Pierre, de dónde eres?
Pierre:	Yo soy de París, soy francés.
Profesora:	Marco, ¿ tú eres italiano?
Marco:	Sí, soy italiano.
Profesora:	¿Eres de Venecia?
Marco:	No, no soy de Venecia, soy de Roma.
Profesora:	Y ¿de dónde es Hans, Marco?
Marco:	Él es de Berlín, es alemán.
Profesora:	Y ¿de dónde es Reiko, Clare?
Clare:	Ella es de Tokio, es japonesa.
Profesora:	Y ¿de dónde eres tú, Petros?
Petros:	Yo soy de Atenas; soy griego.
Marco:	Y usted, señora Pérez, ¿de dónde es exactamente?
Sra. Pérez:	Soy de Madrid.

Palabra por palabra

¿dónde?	where?	Berlín	Berlin
¿eres?	are you?	alemán	German
de	from	ella	she
Londres	London	Tokio	Tokyo
inglesa	English	japonesa	Japanese
París	Paris	Atenas	Athens
francés	French	griego	Greek
italiano	Italian	usted	you
Venecia	Venice	es	he is
no soy	I'm not	exactamente	exactly
Roma	Rome		

Las frases clave

In that dialogue you have seen how to say where people are from:

Yo soy de Madrid.	I am from Madrid.
¿De dónde eres tú?	Where are you from?
Soy inglesa.	I am English.
¿Tú eres italiano?	Are you Italian?
Sí, soy italiano.	Yes, I am Italian.
¿Usted de dónde es?	Where are you from?
Él es de Berlín.	He's from Berlin.

You have also seen how the negative is formed:

No soy de Venecia.   I'm not from Venice.

no *not* is placed directly in front of the verb. (Don't confuse this with **no**, the opposite of **sí**.)

For example:	soy	I am
	no soy	I am **not**
	¿Eres español?	Are you Spanish?
	No, **no** soy español.	No, I'm **not** Spanish.

To show you can form the negative, try this activity:

 **El negativo**   Make these sentences negative.

Di el negativo.

Por ejemplo: Clare es francesa.   Clare no es francesa.

1. Pierre es alemán. ....
2. Hans es italiano. ....
3. Marco es español. ....
4. María es inglesa. ....
5. Reiko es griega. ....
6. Petros es japonés. ....

Words for nationalities change their endings and do not have a capital letter. Here are some more examples:

La señora Pérez es **española**.
El señor Pérez es **español**.
Sophia Loren es **italiana**.
Pavarotti es **italiano**.

(For more about adjectives of nationality, see the Grammar Summary, page 267).

 **5** **Las nacionalidades**

Have a go at saying these people's nationalities in Spanish.

Di las nacionalidades.

1. María is Spanish.	María **es** española.
2. Pierre is French.	....
3. Marco is Italian.	....
4. Clare is English.	....
5. Hans is German.	....
6. Reiko is Japanese.	....
7. Petros is Greek.	....

Now answer for yourself.

 Contesta.

8. I'm (your own nationality). ....

3 ## Saying what you do for a living and where you work or study

6 **¿Cuál es tu profesión? ¿Dónde trabajas?**
What's your job? Where do you work?

Lee, escucha y repite.

Profesora:	Yo soy profesora de español. Trabajo en la Universidad de Madrid. Clare, ¿cuál es tu profesión?
Clare:	Yo soy enfermera.
Profesora:	¿Dónde trabajas?
Clare:	Trabajo en un hospital en Londres.
Profesora:	¿Y tú, Pierre, cuál es tu profesión?
Pierre:	Yo soy taxista.
Profesora:	¿Dónde trabajas?
Pierre:	Trabajo en París, en el centro de la ciudad.
Profesora:	¿Y tú, Marco?

Marco:	Yo trabajo y estudio.
Profesora:	¿Dónde trabajas Marco?
Marco:	Trabajo en una oficina.
Profesora:	¿Y dónde estudias?
Marco:	Estudio en la Universidad de Roma.
Profesora:	¿Qué estudias?
Marco:	Estudio Historia de Europa.
Profesora:	Pierre ¿Reiko es secretaria?
Pierre:	No, Reiko es enfermera como Clare.
Profesora:	Clare, dime ¿Reiko trabaja en Londres?
Clare:	No, ella es japonesa; trabaja en Tokio.
Profesora:	Pierre, dime ¿cuál es la profesión de Hans?
Pierre:	¡Él es dentista! Trabaja en una clínica privada en Berlín.

Palabra por palabra

la profesión	the profession/job	estudias	you study
trabajas	you work	estudio	I study
trabajo	I work	la historia	history
la universidad	the university	Europa	Europe
una enfermera	a nurse	una secretaria	a secretary
un hospital	a hospital	como	like/as
un taxista	a taxi driver	dime	tell me
el centro	the centre	un dentista	a dentist
la ciudad	the city	una clínica	a clinic
una oficina	an office	privada	private
¿qué?	what?		

Las frases clave

In this dialogue you have seen the use of **el/la** *the* and **un/una** *a/an*. In Spanish all nouns are either masculine or feminine. Nouns which end in **o** are usually masculine, nouns which end in **a** are feminine. In other cases you have to learn whether the word is masculine or feminine.

eg:
el supermercado	**the** supermarket
un supermercado	**a** supermarket
la oficina	**the** office
una oficina	**an** office

Notice the way **el, la, un,** and **una** are used, as you learn these sentences:

Yo trabajo en **la** Universidad de Madrid.	I work at the University of Madrid.
Ella trabaja en **un** hospital en Londres.	She works in **a** hospital in London.
Él trabaja en **una** oficina.	He works in **an** office.

Pierre trabaja en **el** centro de la ciudad.	Pierre works in **the** city centre.
Estudio en **la** Universidad de Roma.	I study at **the** university of Rome.
Hans trabaja en **una** clínica privada.	Hans works in **a** private clinic.

But notice that we do not put **un** or **una** in front of professions:

Reiko es enfermera, como Clare.	Reiko is **a** nurse, like Clare.

You have also seen the verb **ser** *to be*.

Hans es dentista.	Hans is a dentist

Look at the present tense of the verb *ser* in the Grammar Summary page 264; it's a good idea to learn it now.

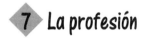 **7 La profesión**

Using the verb **ser** *to be*, say what each person does for a living.

Di la profesión.
Por ejemplo: María es profesora.

1. Clare ....
2. Pierre ....
3. Hans ....

You will also have noticed that in some cases the subject pronouns **yo, tú, él, ella, usted**, etc. are not used, because we can work out the subject from the verb form.

For example: **Soy** can only refer to the first person *I am*.

Eres can only refer to the second person *You are*. There are four words for *you*: **tú, usted, vosotros** and **ustedes**, and their corresponding verb forms. Which form you use depends on who you are talking to:

tú (informal singular) for a person you know well.
usted (formal singular) for someone you don't know well, or someone older than you.
vosotros (informal plural) for several friends.
ustedes (formal plural) for several strangers or people older than you.

 **8 ¿De dónde eres?**

To get used to the principle of leaving out the subject pronouns, say the following sentences in Spanish.

Di las frases en español.
Por ejemplo: *I'm English.* **Soy inglés / inglesa.**

1. I'm from Leeds. ....
2. Where are you from? (informal singular). ....
3. He's from Paris. ....
4. She's from Madrid. ....
5. Are you from London? (formal singular). ....

In this dialogue you saw two new verbs: *trabajar* 'to work' and *estudiar* 'to study'. These are called 'regular **ar** verbs' because their endings can be learned as a pattern.

Look at the present tense of **trabajar** in the Grammar Summary, page 262.

Concentrate on learning the **yo**, **tú**, **él**, **ella** and **usted** forms for now. You will practise the others in a later unit.

9 ¿Dónde trabajas?

Read the following statements about where people work, taken from the last dialogue, and decide if they are true or false.

Di si es verdadero o falso.

1. La profesora trabaja en una universidad.
2. Clare trabaja en un hospital.
3. Pierre trabaja en Tokio.
4. Marco trabaja en una oficina.
5. Reiko trabaja en Londres.
6. Hans trabaja en una clínica.

Two statements are false! Now write out the correct version of those two.

10 El verbo estudiar

For some extra practice, see how well you remember the **-ar** regular verb pattern. Apply the pattern to the verb **estudiar** *to study*. The first one is done for you.

Escribe el verbo.

Yo estudi**o**.   Nosotros ....
Tú ....   Vosotros ....
Él ....   Ellos ....
Ella ....   Ellas ....
Usted ....   Ustedes ....

La vida hispánica

Apellidos *Family names or surnames*

Spanish people often have two surnames. This is because Spanish and Latin Americans use both their father's and mother's surname. Women keep their maiden name after marriage, adding the husband's surname to their own by using *de* (meaning *of* or *belonging to*). The children receive the first surname of each parent. So, if **Carlos Gómez Torres** marries **María Pérez García**, he will continue to be **Carlos Gómez Torres** – but **María** will now be known as:

María Pérez García de Gómez.

Their child or children will take their father's first surname followed by their mother's. Most first born boys are named after their father and most first born girls are named after their mother. So, if they have a son and daughter, they will be called:

First born son
Carlos Gómez Pérez
First born daughter
María Gómez Pérez

Other children are then named after grandfathers and grandmothers, god-parents, uncles, aunts, etc. This arrangement ensures that the woman's surname survives one more generation and also helps to identify who is who within the family.

However, a married woman must use her maiden name in all official matters, such as applying for a passport, opening a bank account and on official forms.

Lectura

11 La carta de Hans

NVQ Level: 1 R1.1

Hans likes to have pen pals all over the world. Here is part of an introductory letter he has written to a Spaniard. Read the following details about Hans, then answer the questions in English.

Lee el texto y contesta las preguntas en inglés.
… mi nombre es Hans, y mi apellido es Schmidt.

Soy alemán. Soy dentista y trabajo en una clínica privada en el centro de Berlín.

En este momento estudio español en la universidad de Madrid y mi profesora es María Pérez García ...

1. What is his surname?
2. Where is Hans from?
3. What is his nationality?
4. What does Hans do for living?
5. Where does he work?
6. Where is the clinic?
7. What is he doing in Madrid?

 Escucha

 Diálogo uno

NVQ Level: 1 L1.1

Listen to the conversation several times then answer the questions in English. When you have done this activity look at the transcript.

Escucha, y contesta las preguntas en inglés.

1. What language does Reiko study?
2. Does Juan study the same language?
3. Where is Juan from?
4. What nationality is Reiko?
5. Is she a full-time student?
6. What's her job in Japan?

 **Diálogo dos**

NVQ Level: 1 L1.2

This time Clare chats to a fellow student. Listen to the conversation and fill in the details on the form. You should be able to recognise his profession!

Escucha, y completa el formulario.

Nombre:	....
Apellido:	....
Nacionalidad:	....
Profesión:	....

La pronunciación

We'll start with three vowels: **a, e, o**. Listen, and look at the words below.

Escucha, y mira las palabras.

a:	alemán	Ana	apellido	actor
e:	España	es	estudio	enfermera
o:	oficina	no	hospital	profesora

Now listen and repeat the words after the speakers until your pronunciation matches the recording.

Escucha y repite.

¡Estás en España!

 ¡Hola!

14

NVQ Level: 1 S1.2

You are a student in a class in Spain and you need to introduce yourself. Follow the prompts on the tape.

Habla.

Say: Hello! Good morning.
My name is ....
I come from Manchester.
I'm English.
I study Spanish at the University of Madrid.
In Manchester I work in a supermarket.

When you have done this activity, practise introducing yourself, using true details of your nationality, where you come from and where you study and/or work. Now have a go at recording your introduction and hear how you sound!

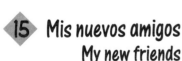

15 **Mis nuevos amigos
My new friends**

NVQ Level: 1 W1.1

Your Spanish friend, Dolores, is very keen to know all about your fellow students in your Spanish class. Give details of each person's nationality, where they are from, what they do for a living or, if they study, what they study. Try to use only words and phrases which you know well.

Completa la carta

To make your note flow better, you might like to use **también** (*also*):

Reiko es enfermera **también**.   Reiko is **also** a nurse.

¡Hola Dolores!

Mis nuevos amigos en la Universidad de Madrid son, Clare, Pierre, Marco, Hans, Reiko, Juan, Petros, y Lucy. Clare es inglesa, es de Londres y trabaja en un hospital. Es enfermera. Pierre ....
¡Hasta luego!

¿Éxito?

How successful have you been with the objectives for this unit?

16 Me presento

NVQ Level: 1 S1.2

Introduce yourself in Spanish, stating your name, surname, nationality and job. Then say where you are from. Now put yourself in the place of various friends of yours, and say their introductions for them.

Habla.

Now write in the correct words to complete these sentences.

Escribe.

¿Qué tal? Mi ...... es Pierre y ...... apellido ...... Duras.

...... Marco y ...... apellido ...... Polo.

¡...... Hans Schmidt y ...... dentista!

Buenos días ...... nombre ...... Reiko y ...... japonesa.

¡Hola! .....Clare.

¡Yo ...... Petros Sofianos ...... griego y ...... actor!

¡Buenos días! ...... la profesora de ...... y mi nombre ...... María, ... española.

17 ¿Cuál es tu nombre?

NVQ Level: 1 W1.1

To find out how well you can ask other people for information about themselves, see how many questions you can write from memory which would help you to find out about them, for example *¿Cuál es tu nombre?*.

Escribe.

¡Socorro!

◆ If you are still not sure of how to talk about yourself in Spanish, try filling in the form for Activity 13 on page 20 so that it relates to you. Then try to write as many sentences about yourself in Spanish as you can, for example: Mi nombre es ... Estudio en ... Soy de ...

2 *unidad dos*

El hotel
The hotel

Tus objetivos

1. Finding a hotel
2. Booking a room
3. Enquiring about cost
4. Checking out

1 Finding a hotel

El hotel Buenavista The Buenavista Hotel

Read the dialogue, and check with the **Palabra por palabra** section to see if you have understood the new vocabulary. Then listen to the recording and repeat each sentence by pausing the tape.

Lee, escucha y repite.

Ramón: ¡Mira, Carlos, el hotel Buenavista que recomienda la guía!

Carlos: Sí … es un hotel de tres estrellas, con restaurante.

Ramón:	¿Cómo es?
Pilar:	Es un hotel grande y moderno.
Carlos:	¡Huy, sí! Y muy elegante también.
Ramón:	Un momento, voy a reservar las habitaciones.

Palabra por palabra

¡mira!	look!	moderno	modern
que	that	¡huy!	wow!
recomienda	recommends	muy	very
la guía	the guide	elegante	elegant
tres	three	también	also; too
las estrellas	stars	un momento	a moment
un restaurante	a restaurant	voy a	I'm going to
¿cómo es?	what is it like?	reservar	book/reserve
grande	big	las habitaciones	the rooms

Las frases clave

Es un hotel de tres estrellas.	It's a three star hotel.
Es un hotel grande y moderno.	It's a large and modern hotel.
Es un hotel elegante.	It's an elegant hotel.

Note the use of adjectives such as: **_muy_**, **_grande_**, **_moderno_**, and **_elegante_**. Adjectives are used to describe a noun and in Spanish are placed after the noun.

eg: el hotel **moderno**　　　　the modern hotel

Adjectives must also change their endings according to the gender and number of the noun they describe. In the singular, adjectives which end in **o** change to **a** to form the feminine.

eg: el hotel cómod**o**　　　　the comfortable hotel
　　　la cama cómod**a**　　　　the comfortable bed

Adjectives which do not end in **o** or **a** do not change:

eg: el restaurante elegant**e**　　　　the **elegant** restaurant
　　　la señora elegant**e**　　　　the **elegant** woman

 **2 El hotel**　Read the following sentences, and write them in English.

Lee las frases en español, y escríbelas en inglés.

1. Es un hotel muy moderno.　.......................
2. Es un hotel de tres estrellas y muy grande.

....

3. Es un hotel elegante.　.......................
4. Es un hotel muy comodo.　.......................

3 **¿Cómo es?**

1.

un hotel ………

2.

una oficina ………

3.

un restaurante ………

4.

una cama ………

Look at the drawings and complete the sentences under each one. Select the appropriate adjective for each, from the list:

| cómoda   moderno   elegante   grande |

---

2 **Booking a room**

4 **En recepción**
At reception

Lee, escucha y repite.

Ramón:	Buenas tardes.
Recepcionista:	Buenas tardes.
Ramón:	Quiero hacer una reserva.
Recepcionista:	Sí, señor.
Ramón:	Quiero una habitación doble y una habitación individual, por favor.
Recepcionista:	¿Con baño completo o con ducha?
Ramón:	Pues … con baño completo.
Recepcionista:	¿Para cuántas noches?
Ramón:	Para cuatro noches.
Recepcionista:	¿Quiere habitación sólo, media pensión o pensión completa?
Ramón:	Pues … ¿Cuál es el precio?

Palabra por palabra

quiero	I want	pues …	well …
hacer	to make	¿cuántas?	how many?

una reserva	a booking	noches	nights
sí, señor	yes, sir	para	for
una habitación	a room	cuatro	four
doble	double	sólo	only
individual	single	media	half
por favor	please	la pensión	board; boarding house
con	with		
el baño	the bathroom	completa	full
completo	inclusive	el precio	the price
la ducha	the shower		

 **Las frases clave**

Quiero hacer una reserva.	I want to make a booking.
Quiero una habitación con baño.	I want a room with a bath.
Una habitación para cuatro noches.	A room for four nights.
habitación solo	room only
media pensión	half board
pensión completa	full board

Quiero means literally *I want*. It is equivalent to saying *I would like* in English. It comes from the verb **querer** which you will see in more detail in *Unidad 7*.

5 **Una reserva** Look at the picture and select the correct caption for each thought bubble. Match the letters of the drawings with the numbers of the sentences being spoken.

Empareja los dibujos con las frases.

1. Quiero una habitación individual.
2. Quiero una habitación con ducha.
3. Quiero una habitación doble con baño completo.
4. Quiero hacer una reserva.

Imagine you are in reception. Ask for the following things in Spanish.

Haz las preguntas siguentes.

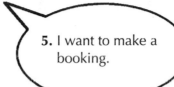

5. I want to make a booking.

6. I want a single room with a shower.

7. I want a double room.

8. I want an en suite bathroom.

6 Quiero

In the dialogue you saw **quiero** used with a verb: **hacer** *to make*.

Por ejemplo: Quiero hacer una reserva en el Hilton.

I want to make a booking in the Hilton.

Now look at the pictures and complete the sentences, selecting the appropriate verb to put after **quiero**.

Escribe y habla.

1. .... millonario.

2. .... en una universidad.

3. .... en una oficina.

El precio The price

Lee, escucha y repite.

Recepcionista:	Pues … El precio por persona por noche es: habitación sólo: 5.000 pesetas. Media pensión: 8.000 pesetas. Pensión completa: 11.000 pesetas.
Ramón:	Pues … Media pensión.
Recepcionista:	El suplemento de la habitación individual es 1.000 pesetas por noche más el IVA.
Ramón:	Vale.
Recepcionista:	Pues … Es una habitación doble, y una habitación individual … con baño completo y media pensión, para cuatro noches.
Ramón:	Sí.
Recepcionista:	¿Qué nombre, por favor?
Ramón:	Ramón Castro Muñoz.
Recepcionista:	¿Nacionalidad?
Ramón:	Español.
Recepcionista:	Me enseña el pasaporte o el carnet de identidad, por favor.
Ramón:	Sí, claro. Tenga. (*hands it over*)
Recepcionista:	Gracias …
Recepcionista:	… La llave de la habitación doble es el número 17, y la llave de la habitación individual es el número 19. En el segundo piso.
Ramón:	Muchas gracias.

Palabra por palabra

El precio	price	un carnet de	
por	per	identidad	an ID card
una persona	a person	claro	of course
cinco	five	tenga	here you are
ocho	eight		(formal)
once	eleven	Gracias	Thanks
mil	one thousand	la llave	the key
el suplemento	the supplement	el número	the number
más	plus	diecisiete	seventeen
el IVA	the VAT	diecinueve	nineteen
vale	OK	segundo	second
Entonces	So; then	el piso	floor
el nombre	name	muchas gracias	thank you very
la nacionalidad	nationality		much
el pasaporte	the passport		

Las frases clave

El precio por persona y noche es 5.000 pesetas.	The price per person per night is 5.000 pesetas.
El suplemento de la habitación individual es 1.000 pesetas por noche.	The single room supplement is 1.000 pesetas per night.
La llave de la habitación número 17.	The key for room number 17.
Está en el segundo piso.	It's on the second floor.

8 ¿Cuál es el precio?

All these sentences are incorrect in some way. With the help of the dialogue, write out the correct version.

Lee las frases y escribe.

1. El precio de la habitación sólo es 4.000 pesetas.
2. El precio del suplemento es 5.000 pesetas.
3. Es una habitación doble con ducha y una habitación doble con baño.
4. Ramón es Italiano
5. La habitación doble es el número 19.
6. En el cuarto piso.

To achieve most of the objectives in this unit, you will need to be familiar with numbers. In the dialogues so far you have heard several numbers, all between 0 and 20, with the exception of *mil*, 'one thousand'.

eg:　1.000 = mil　　5.000 = cinco mil

(For more information see *Unidad 4*)

9 Los números cardinales

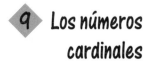

Read the numbers listed several times, then listen to the recording. As you listen, read and repeat each number.

Lee y repite los números.

0 cero　1 uno　2 dos　3 tres　4 cuatro　5 cinco　6 seis
7 siete　8 ocho　9 nueve　10 diez　11 once　12 doce
13 trece　14 catorce　15 quince　16 dieciséis　17 diecisiete
18 dieciocho　19 diecinueve　20 veinte

10 El crucigrama de los números

To practise writing these numbers, do the crossword with the corresponding Spanish spelling for the number you see by the column.

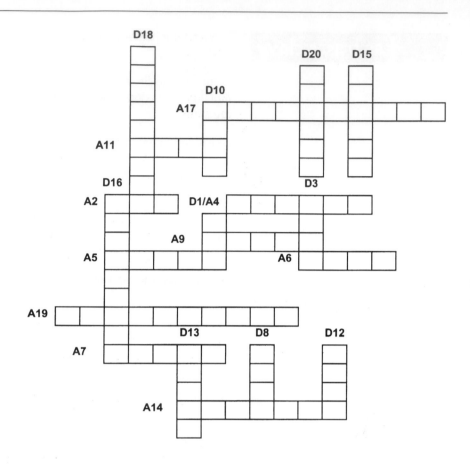

 Completa el crucigrama.

In Activity 7 on page 28 you also saw and heard **en el segundo piso** *on the second floor*. In Spanish ordinal numbers (first, second, etc.) are normally only used up to tenth.

 Los números ordinales

Look at the list below and, as you did with the other numbers, read them a couple of times then listen to the recording.

Lee escucha y repite.

1st first	primer / primero – 1º	primera – 1ª
2nd second	segundo – 2º	segunda – 2ª
3rd third	tercer / tercero – 3º	tercera – 3ª
4th fourth	cuarto – 4º	cuarta – 4ª
5th fifth	quinto – 5º	quinta – 5ª
6th sixth	sexto – 6º	sexta – 6ª
7th seventh	séptimo – 7º	séptima – 7ª

8th eighth	octavo – 8º	octava – 8ª
9th ninth	noveno – 9º	novena – 9ª
10th tenth	décimo – 10º	décima – 10ª

All these numbers end in **o,** so they change to an **a** to form the feminine:

eg: **el** segund**o** pis**o**   the second floor
      el 2º pis**o**   the 2nd floor
      la primer**a** puert**a**   the first door
      la 1ª puert**a**   the 1st door

Notice what happens to **primero** and **tercero** in front of a masculine noun; they lose the **o** and become **primer** and **tercer:**

eg: el **primer** hotel   the first hotel
      el **tercer** piso   the third floor

 **Las Puertas**
The doors

Listen to the recording and write the number of each door as you hear it. The first one has been done for you as an example and you'll see that it is: eighth. After you have written in the numbers on the doors, spend a few moments thinking about how to spell those numbers.

Mira el ejemplo, escucha y escribe.

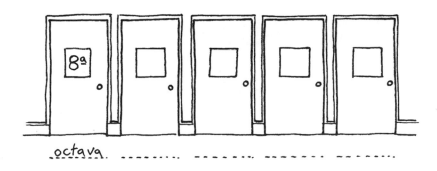

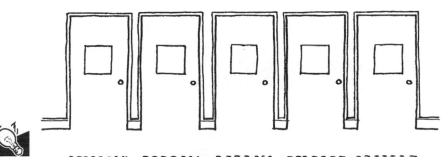

13 En la habitación
In the room

Lee, escucha y repite.

Ramón:	Es una habitación grande, ¿verdad?
Carlos:	Sí, y el baño también.
Ramón:	¡Mira Carlos! La terraza es magnífica.
Carlos:	¡Oh sí! ¡Con vistas a la playa!
Carlos:	Voy a ver la habitación de Pilar.
Ramón:	Pues … quiero escribir unas postales.
Carlos:	¿A quién escribes las postales?
Ramón:	A mis amigos que viven en Londres.
Carlos:	Mira Ramón, la carta: el desayuno es tipo buffet. El almuerzo es 'el menú del día', y la cena es 'a la carta'. ¿Comemos en el restaurante?
Ramón:	¡Sí, claro!
Carlos:	¡Hola Pilar! ¿Cómo es la habitación?
Pilar:	¡Es muy grande!
Carlos:	¿Y cómo es la cama?
Pilar:	Es muy cómoda. ¡Mira! ¿Ves la televisión y el mini bar?
Carlos:	Sí. Mira Pilar, comemos en el restaurante. ¿Vale?
Pilar:	¡Vale!
Carlos:	Hasta luego.

Palabra por palabra

¿verdad?	isn't it?	la carta	the menu
la terraza	the terrace	el desayuno	the breakfast
magnífica	magnificent	el tipo	the type
la vista	the view	el almuerzo	the lunch
la playa	the beach	el 'menú del día'	set menu
ver	to see		
unas postales	some postcards	la cena	the evening meal
¿a quién?	to whom?	comemos	we eat
escribes	you write	la cama	the bed
mis amigos	my friends	¿ves?	do you see?
que	that	la televisión	the television
viven	live	Hasta luego	See you later

Las frases clave

Es una habitación grande.	It's a large room.
La terraza es magnífica.	The terrace is magnificent.
Quiero ver la habitación.	I want to see the room.
¿Cómo es la habitación?	What's the room like?
La habitación es muy cómoda.	The room is very comfortable.
Comemos en el restaurante.	We'll eat in the restaurant.

14 **¿Cómo es la habitación?**

What is the room like?

Complete the following statements based on what the last dialogue says about the rooms and the facilities. Select the most appropriate word from each list.

Lee, y completa las frases.

1. Es una habitación .... grande, moderna
2. El baño es .... moderno, grande
3. La terraza es .... elegante, magnífica
4. Con vistas a .... la recepcionista, la playa
5. La cama de Pilar es .... muy elegante, muy cómoda

In this dialogue you have also seen the regular verbs **ver** *to see*, **comer** *to eat* and **escribir** *to write*. These are -er and -ir verbs. In Unidad 1 you saw the -ar verbs **trabajar** and **estudiar**. Look at the patterns for -er and -ir verbs in the Grammar Summary, page 262, and try to learn the pattern for these verbs by reading the verb out loud several times, then covering each side in turn and writing the corresponding part. Finally say the verb totally from memory!

15 **¿Donde comes?**

Where do you eat?

Write the correct form of the verb **comer** to complete these sentences.

Completa las frases.

1. Yo .... en el restaurante del hotel.
2. Pilar .... chocolate en la habitación.
3. Carlos .... 'a la carta'.
4. Ramón no ....

16 **El verbo ver**

I see is **veo**, but otherwise **ver** behaves like an ordinary -er verb. See if you can write out the rest of its present tense.

Escribe el verbo.

Yo veo	nosotros ....
tú ves	vosotros ....
él	ellos ....
ella	ellas ....
usted	ustedes ....

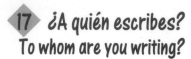 **¿A quién escribes?**
To whom are you writing?

Complete these sentences using the verb **escribir**.

Completa las frases:

1. Ramón .... a unos amigos.
2. Carlos no .... en la habitación.
3. Él ....las postales en la playa.
4. Yo también .... postales.

 **El verbo vivir**

The verb **vivir** *to live* is another **-ir** verb, like **escribir**. See if you can write it from memory. Then write these sentences in Spanish.

Escribe en español.

1. I live in London.   ....
2. Hans lives in Berlin.   ....
3. Pierre and Suzanne live in Paris. ....
4. Where do you live?   ....

 **El plural de los verbos**

Now try this activity using the plural form. Check with the Grammar Summary, page 262 if you need help.

Di y escribe el plural de los verbos.

1. Reiko y Clare (*work*) .... en un hospital.
2. Los amigos de Hans (*study*) .... español en Madrid.
3. Ramón y Pilar (*eat*) .... en el restaurante.
4. ¿Vosotros (*see*) .... la playa?
5. ¿Ustedes (*write*) .... japonés?
6. ¿Dónde (*live*) .... Ramón, Carlos y Pilar?
7. Nosotros también (*eat*) .... en el restaurante.

④ Checking out

 La cuenta
The bill

Lee, escucha y repite.

Ramón: Buenos días.
Recepcionista: Buenos días.
Ramón: La cuenta, por favor.
Recepcionista: Pues ... para cuatro noches una habitación doble son 40.000 pesetas y una habitación

individual con el suplemento son 24.000 pesetas, en total son 64.000 pesetas más el IVA …

Ramón:	¿Aceptan tarjetas de crédito?
Recepcionista:	Sí, claro.
Ramón:	Tenga, la tarjeta.
Recepcionista:	Gracias señor Castro, firme aquí por favor.
Ramón:	¿Firmo aquí?
Recepcionista:	Sí. (Ramón signs) … muchas gracias, y buen viaje.
El grupo:	Gracias. Adiós.
Recepcionista:	Adiós.

Palabra por palabra

cuarenta	forty	firme	sign
veinticuatro	twenty-four	aquí	here
sesenta y cuatro	sixty-four	¿firmo?	do I sign?
¿aceptan?	do you accept?	buen	good
las tarjetas de crédito	credit cards	viaje	trip

Las frases clave

These phrases are useful when checking out of a hotel.

La cuenta, por favor.	The bill, please.
¿Aceptan tarjetas de crédito?	Do you accept credit cards?
Tenga, la tarjeta.	Here's the card.
¿Firmo aquí?	Do I sign here?

21 ▸ Los clientes del hotel
The hotel guests

Look at the pictures, and write the most appropriate caption using **Las frases clave**.

Mira los dibujos y escribe.

1 ....

2 ....

3 ....

4 ....

22 Los números de 20 a 90
Numbers from 20 to 90

Read the numbers 20 to 90 below. When you have read them several times, listen to the recording, and repeat these numbers. Keep doing this till you feel confident you can recognise the number when you hear it, and you can say it with the speaker without looking at the words.

Escucha y repite.

veinte	treinta	cuarenta	cincuenta
20	**30**	**40**	**50**

sesenta	setenta	ochenta	noventa
60	**70**	**80**	**90**

23 ¡Más números!
More numbers

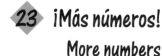

Now look at the list below and read, listen to and repeat the numbers, paying particular attention to the patterns that emerge.

Lee, escucha y repite.

21 veintiuno	32 treinta y dos	68 sesenta y ocho
22 veintidós	33 treinta y tres	69 sesenta y nueve
23 veintitrés		
24 veinticuatro	44 cuarenta y cuatro	77 setenta y siete
25 veinticinco	45 cuarenta y cinco	
26 veintiséis		88 ochenta y ocho
27 veintisiete	56 cincuenta y seis	
28 veintiocho	57 cincuenta y siete	99 noventa y nueve
29 veintinueve		

Next, look at the pictures. Beneath each one, write the corresponding numbers in words. (NB In Spanish, telephone numbers are expressed as *forty-one, twenty-six … not* four, one, two, six, etc.)

1. 37

2. María Pérez García
Avenida del Sol número 75
Madrid

3. **Ramón Castro Muñoz**
Calle Pilar número 81
Barcelona

5.

Madrid - 44 - 55 - 66

4.

Plaza san Juan número 93, Alicante.

6.

La vida hispánica

El alojamiento

Accommodation in Spain is widely available and reasonably priced. Only in major resorts might you experience shortage of rooms and high pricing. However, you need to know the different kinds of accommodation available.

For climbers, trekkers and those who wish to stay off the beaten track there are:

- campsites (**campings**), classified as luxury (**de lujo**), first, second, and third class
- youth hostels (**albergues juveniles**)
- dormitory huts in the countryside (**refugios**)
- and it is sometimes possible to stay in a cell in a monastery (**un monasterio**) or a convent (**un convento**)!

For visitors in general, the least expensive type of accommodation is: **una fonda** or **una pensión** (identified by a square blue sign with a white **F** or **P**). These are often found above a bar, and normally serve reasonably priced home-cooked meals as well.

Slightly more expensive, but far more common, are: **un hostal** or **un hostal-residencia** (identified by an **H** or **HR**). These are graded from one to three stars, and the **residencia** part means that no meals, except possibly breakfast, are available.

Moving up the scale you find **un hotel** (**H**), again star-graded from one to five. At three stars the price increases substantially. At four or five stars hotels come into the luxury class with prices to match. These include the state-run **paradores**. These are beautiful places, often converted from castles, monasteries and palaces.

Information about all types of accommodation can be obtained from the Spanish Tourist Office, 57/58 St James Street, London, SW1A 1LD Tel 0171 499 0901 Fax 0171 629 4257

Parador 'Raimundo de Borgoña', Avila.

 **Lectura**

24 El folleto de información
The information leaflet

NVQ Level: 1 R1.1

Read the information about a *Parador* and see how much you understand.

Lee el folleto.

---

56 habitaciones dobles y 4 suites con baño completo – Terraza – Aire acondicionado, vistas al mar, teléfono, minibar, t.v. vía satélite, caja fuerte, secador de pelo.

Playa – Piscina – Golf de 18 hoyos – Tenis – Campo de fútbol – Jardines – Aparcamiento -Restaurante – Bar – Salón de actos.

A 3 km. del aeropuerto de Málaga – 10 km. de Málaga – 4 km. de Torremolinos.

Golf gratis del 1 de noviembre al 30 de junio para clientes alojados en el Parador

---

Now look at the list of Spanish words and match them to the English words.

Conecta las palabras.

1.	terraza	a.	satellite TV
2.	aire acondicionado	b.	telephone
3.	vistas al mar	c.	hairdryer
4.	teléfono	d.	safe
5.	baño completo	e.	terrace
6.	t.v. vía satélite	f.	sea views
7.	caja fuerte	g.	air conditioning
8.	secador de pelo	h.	en suite bathroom
9.	piscina	i.	parking
10.	jardines	j.	conference room
11.	aparcamiento	k.	swimming pool
12.	salón de actos	l.	gardens

Ahora contesta las preguntas en inglés.

1. How far is the *Parador* from Málaga airport?
2. How many double rooms has it got?
3. What leisure facilities does the *Parador* have?
4. What do residents get free between November and June?
5. Where can you eat *à la carte*?
6. Where can you meet friends for a drink?

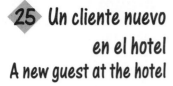

Escucha

25 Un cliente nuevo en el hotel
A new guest at the hotel

NVQ Level: 1 L1.2

Listen to the conversation between the man and the receptionist and look at the client record card below so that you know what information you want from the dialogue. Then listen to the dialogue again several times, and fill in the details.

Escucha el diálogo y completa la ficha.

La ficha

Cliente:

Nombre: ...Carlos.....   Primer apellido: ....
Segundo apellido: ....   Habitación número: ....
Piso número: ....

Tipo de reserva:

Habitación doble ☐   Habitación individual ☐
Habitación sólo ☐   Media pensión ☐   Pensión completa ☐

Número de noches: ....   Precio por noche: ....
Suplemento: ....

Comidas:

Desayuno ☐   Almuerzo ☐   Cena ☐

La pronunciación

Escucha y mira las palabras.

i: is pronounced like i in the word *machine*: di   sí   comida mira

u: sounds like 'oo' in the word *moon*: uno   ducha   escucha número

y on its own means 'and' and is pronounced like an English long 'ee' in 'tea'.

y: as a consonant it is pronounced like y in *yellow*: yo playa desayuno

y: as a vowel again pronounced like ee in *tea*: soy voy muy

Listen and repeat until your pronunciation matches the recording.
Escucha y repite.

¡Estás en España!

26 ¡Buenos días!

NVQ Levels: 1 S1.1 and 1 S1.2

You are booking a room in a hotel reception. Follow the prompts on the recording, and speak in the pause provided.

Habla.

Recepcionista: Buenos días.

Tú: ....

Recepcionista: ¿Con baño completo o con ducha?

Tú: ....

Recepcionista: ¿Quiere pensión completa, media pensión o habitación sólo?

Tú: ....

Recepcionista: ¿Para cuántas noches?

Tú: ....

Recepcionista: Son 30.000 pesetas por persona.

Tú: ....

For extra practice, ask for two or three variations of facilities and a different number of nights.

27 La postal

NVQ Level: 1 W1.2

Imagine you staying at the Hotel Buenavista. Write a postcard in Spanish to a friend describing the hotel, the room and the view! Use all the adjectives you have learnt in this unit: **grande, moderno/a, elegante, cómodo/a, magnífico/a**, and remember to make the necessary changes from masculine to feminine. For example: La playa es **magnífica**

The card has been started for you:

¡Éxito?

 **La habitación**

NVQ Level: 1 S1.1

Objetivo

Can you book a hotel room and ask the cost?

Practise asking for a hotel room. Don't forget to mention:

1. What type of room you want.
2. With what facilities.
3. For how many nights.
4. What type of accommodation.
5. At what price.

Objetivo **2** ✔

 La cuenta

NVQ Level: 1 S1.2

And finally, checking out of the hotel:

How would you say the following? Write your answers and when you are satisfied with them, say them out loud. **Escribe y habla en español**.

1. The bill, please.
2. How much is the VAT?
3. Do you accept credit cards?
4. Thank you.
5. Goodbye.

¡Socorro!

◆ This unit has a lot of very useful vocabulary, especially for anyone who is planning to travel and stay in hotel accommodation in a Spanish speaking country. So take time to look back at all the Palabra por palabra and Las frases clave sections and see how many words and phrases you can remember! Keep doing this until you know the vast majority of them. Be sure you feel confident, especially with the numbers, before going on to Unidad 3.

3 unidad tres

¿Dónde está ...?

Where is ...?

Tus objetivos

1 Asking where places are

2 Finding the best way to get to places

3 Understanding and repeating instructions

---

1 Asking where places are

1 ¿Dónde está la catedral? Where is the cathedral?

Lee, escucha y repite.

Turista: Perdón, señor, ¿dónde está la catedral?

Hombre: ¿La catedral ?... pues, mire usted. Estamos en La Plaza Mayor. Cruce la plaza y continúe por la Calle Mayor hasta el semáforo y allí está ... a la derecha.

Turista: A ver ... Cruzo la plaza, voy por la Calle Mayor hasta el semáforo y la catedral está a la derecha, ¿es eso?

Hombre: Exactamente, señorita, eso es.

Turista: Muchísimas gracias, señor.

Hombre: De nada. Adiós.

Palabra por palabra

¿dónde está ...?	where is ...?	el semáforo	the traffic lights
la catedral	the cathedral	cruzo	I cross
la plaza	the square	voy	I go
mayor	main	a la derecha	on the right
cruce	cross	eso es	that's it
la calle	the street	exactamente	exactly
continúe	continue	de nada	not at all
hasta	until; up to		

Las frases clave

¿Dónde **está** la catedral?	Where is the cathedral?
Allí **está.**	There it is.
Está a la derecha.	It's on the right.
Estamos en la Plaza Mayor.	We're in the Plaza Mayor.

Está and **estamos** are parts of the verb **estar** *to be*. **Estar** is used to indicate *where* things and people are. This is the present tense of **estar**:

yo	estoy
tú	estás
él, ella, Vd.	está
nosotros	estamos
vosotros	estáis
ellos, ellas, Vds.	están

2 Estar Match these sentences to the pictures:

Empareja las frases con los dibujos. Por ejemplo: 1a

a   b   c

d   e   f

1. Madrid está en España.
2. ¿Dónde está la recepción?
3. Las llaves están en la habitación.
4. Estamos en el restaurante.
5. Antonio, ¿ dónde estás ?
6. Estoy aquí en la terraza.

3 ¿Ser o estar?

¿Ser o estar? Esa es la cuestión . . .

You have already met another verb meaning *to be* (**ser**) in Unidad 1. **Ser** is used to describe nationality, where people are from, profession and physical characteristics. **Estar**, on the other hand, is used when you are referring to where things, people and places are, i.e. their **location**. Another use of **estar** is to talk about the *state* of people and things, when you enquire about someone's health for example: **¿Cómo estás, María? Estoy bien, gracias**. To show that you understand the basic differences between **ser** and **estar**, say the following sentences in Spanish.

Di las frases en español.

1. Where is the square?
2. The square is on the right.
3. Are you Spanish?
4. No, I'm English
5. Where are you from?
6. I'm from London.
7. What is your surname?
8. My surname is Jones.

(To find out more about **ser** and **estar**, see the Grammar Summary, page 265.)

② Finding the best way

4 ¿Para ir a la Plaza de España?

Lee, escucha y repite.

Plaza de España

Javier: Oiga señora, ¿para ir a la Plaza de España?
Señora: ¿La plaza de España? Vamos a ver … Sí … Vaya por esta calle hasta el estanco de la esquina; después es la primera a la izquierda. Sí, la calle Goya, después del cine Goya que está al final de la calle, cruce la calle y continúe …
Javier: Un momento, señora ¿está muy lejos?
Señora: Pues … sí, está bastante lejos.
Javier: ¿Es mejor ir a pie o en autobús?
Señora: En autobús, claro.
Javier: ¿Hay un autobús que pasa por allí?
Señora: Sí, sí, el número 45 pasa por allí.
Javier: ¿El 45? Y ¿está lejos la parada, por favor?
Señora: Enfrente. Al lado de Correos.
Javier: Entonces voy en autobús. Muchísimas gracias.
Señora: De nada. Adiós.

Palabra por palabra

Oiga	Listen; excuse me	¿es mejor?	is it better?
para ir a …	how do I get to …?	ir a pie	to go on foot; to walk
vamos a ver	let's see	claro	of course; definitely
vaya por	go along	hay	there is, there are
el estanco	the tobacconist's	¿hay?	is there? are there?
la esquina	the corner	que pasa	which passes
la izquierda	the left	por allí	around there, by there
después de	after	la parada	the bus stop
el cine	the cinema	enfrente	opposite
al final de	at the end of	al lado de	next to
lejos de	far	Correos	Post Office
bastante	quite	Muchísimas	very many

Las frases clave

¿Para **ir** a la plaza de España?	How do I get (lit. In order to go) to the Plaza de España?
Voy en autobús	I'm going by bus.
¿Tú **vas** al hotel?	Are you going to the hotel?
¿El autobús **va** a la plaza?	Does the bus go to the square?
¿**Vamos** a mi casa?	Are we going to my house?
¿Adónde **vais**?	Where are you going?
Ellos no **van** en tren.	They are not going by train.
Vamos a ver …	Let's see … (lit. We are going to see …)

Vamos and **voy** come from the verb **ir** *to go*. This is the present tense of **ir**:

yo	voy
tú	vas
él, ella, Vd.	va
nosotros	vamos
vosotros	vais
ellos, ellas, Vds.	van

 **5 ¿Adónde van?** Say, then write, the verb **ir** from memory. Then read these Spanish sentences and match them to their English equivalents.

Lee y empareja las frases:

1.	Van a España.	**a.**	I'm going to my room.
2.	Ella no va a la derecha.	**b.**	They are going to Spain.
3.	¿Vas lejos de casa?	**c.**	She's not going to the right.
4.	Vamos al final de la calle.	**d.**	Are you going far from home?
5.	Voy a mi habitación.	**e.**	They are going to the reception desk with the keys.
6.	Van a la recepción con las llaves.	**f.**	We are going to the end of the street.

6 Ir Fill in the blanks in these sentences with the appropriate words from the list.

Completa las frases.

¿Es mejor ....en tren o en autobús?
Maite y Pepe ....a la escuela.
Tú ....a la plaza ahora ¿no ?
Yo no .... a casa ahora.
Tú y yo ....al cine está noche ¿verdad?
Mi padre .... a su trabajo en coche.

ir	voy	vas	va	vamos	vais	van

Hay is a very useful verb meaning *there is/there are*.

¿**Hay** una parada?   Is there a bus stop?
No **hay** balcón.   There is no balcony.
¿**Hay** italianos en tu clase?   Are there any Italians in your class?

7 Hay Say these sentences in English.

Di las frases en inglés.

¿Hay un ascensor en el hotel?
En Madrid hay muchos monumentos famosos.
Hay dos cines en mi ciudad.
No hay clase de español hoy.
En la calle Goya hay un cine.
¿Qué hay en la habitación?

When the preposition **a** is placed next to **el**, it becomes **al**. Similarly, when **de** goes in front of **el** we have **del**:

a + el = al
de + el = del

Está **al** lado **del** banco.   It is beside the bank.
Voy **al** cine.   I'm going to the cinema.
La calle Miró está **al** final de esta calle.   The calle Miró is at the end of this street.

Cerca **del** hotel hay un bar.   Near the hotel (there) is a bar.

8 Al, del

Write the following sentences with the correct form of **a / a la / al** and **de / de la / del**.

Escribe las frases:

1. María y yo vamos (a / a la / al) cine.
2. Voy (a / a la / al) restaurante ahora.
3. Juan es el hijo (de / de la / del) profesor.
4. ¿Vas (a / a la / al) playa hoy?
5. Hay dos hoteles (a / a la / al) final de la calle.
6. El banco está en la esquina (de / de la / del) calle.

3 Understanding and repeating instructions

9 El Corte Inglés

Lee, escucha y repite.

José Luis: Oiga, Señor, ¿el Corte Inglés está por aquí?

Señor: ¿El Corte Inglés? Está en la calle Belén, paralela a esta calle.

José Luis: La calle Belén, ¿no?

Señor: Sí, sí, la calle Belén. Detrás de esta calle. Siga todo recto. Tome la primera a la derecha. El Corte Inglés está enfrente del Banco de Bilbao y cerca de Correos.

José Luis: O sea … Primero voy a la calle Belén, sigo todo recto, y tomo la primera a la derecha. Luego El Corte Inglés está enfrente del Banco de Bilbao y cerca de Correos ¿no?

Señor: Eso es.

José Luis: Ah … Y otra pregunta por favor, señor, ¿hay una farmacia por aquí?

Señor: Sí, sí, hay una farmacia en esta calle a cincuenta metros. Cruce la calle, y la farmacia está entre la panadería y la zapatería.

José Luis: Ah sí sí … Ya veo. Cruzo la calle. Muchísimas gracias.

Señor: De nada. Adios.

Palabra por palabra

el Corte Inglés	(a well known chain of department stores)	sigo	I continue, I carry on
		todo recto	straight ahead

paralela	parallel	una farmacia	a chemist's
detrás de	behind	una panadería	a baker's
siga	continue, carry on	una zapatería	a shoe shop
tome	take	ya veo	now I see
o sea	that is to say		

Las frases clave

You saw these instructions in the last three dialogues:

Mire Vd.	Look.
Cruce la plaza.	Cross the square.
Continúe.	Carry on.
Vaya por está calle.	Go along this street.
Tome la primera calle.	Take the first street.
Siga todo recto.	Continue straight ahead.

These are *imperatives* or commands. These commands are for addressing someone as **usted (Vd.)**; for example, a stranger in the street. For now it is sufficient to recognise these instructions and the verb they come from. (To find more about imperatives, consult the Grammar Summary, page 266.)

10 Las señales

Match the following instructions to the pictures.

Empareja las frases con los dibujos.

Por ejemplo: 1=E

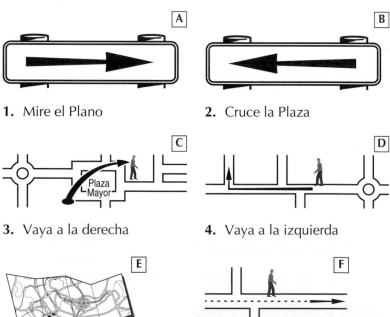

1. Mire el Plano
2. Cruce la Plaza
3. Vaya a la derecha
4. Vaya a la izquierda
5. Tome la segunda a la derecha
6. Continúe por la Calle Mayor

Las instrucciones

Listen to the following directions on the tape and write a number at the end of each one, according to the order you hear them in. The first one is done for you.

Escucha, y escribe los números.

    a. Cruce la plaza.
    b. Continúe por la calle Murillo.
    c. Vaya a Correos.   ☐ 1
    d. Tome la primera a la izquierda.
    e. Continúe por la calle Velázquez.
    f. Vaya a la estatua de Cervantes.

¡No cruce la plaza!

To make these commands negative (for example *Don't cross the square!*), we simply put *no* in front of the verb: **¡No cruce la plaza!** Do this with the other sentences in Activity 11.

¡Ya veo!
Now I see!

NVQ Level: 1 R1.2

Read the following instructions, and after each one write down what you should do, using the I (**yo**) form of the verb. If you cannot remember these, reread the dialogue in Activity 9 on page 47.

Lee y escribe.
Por ejemplo: 1. Vaya al semáforo. = Vale, voy al semáforo.
  (Go to the traffic lights. = OK, I go to the traffic lights.)

    1. Vaya al semáforo.
    2. Cruce la plaza.
    3. Tome la segunda a la derecha.
    4. Continúe por aquí.
    5. Vaya hasta la esquina.
    6. Cruce la calle Mayor.
    7. Tome el autobús número 28
    8. Continúe hasta el estanco de la esquina.
    9. Siga todo recto.

 **Lectura**

 El centro comercial

NVQ Level: 1 R1.1

Look at the map of the shopping centre. Read the statements, and decide whether they are true or false.

Mira el mapa del centro comercial. Lee las frases y escribe V (verdadero) o F (falso)

El Centro Comercial

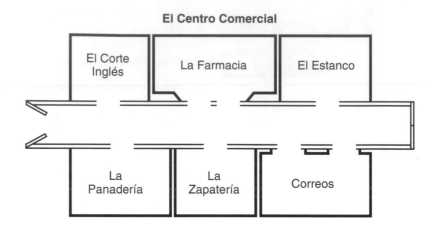

El Corte Inglés	La Farmacia	El Estanco
La Panadería	La Zapatería	Correos

1. Correos está a la izquierda
2. La panadería es la segunda a la derecha.
3. La farmacia es la segunda a la izquierda.
4. El estanco está a la derecha.
5. El Corte Inglés es la primera a la derecha
6. La zapatería es la segunda a la derecha.

15 ▸ **Una carta de España**

NVQ Level: 1 R1.2

The following is part of a letter written to you by a Spanish person, giving directions on how to get to their house in Spain from the bus station (**estación de autobuses**). Write down for your English travelling companion the *five* most important things you need to know after leaving the bus station.

... al salir de la estación vaya a la izquierda; usted está en la calle Mallorca. Al llegar al semáforo cruce la calle, y está delante del estanco. Tome la primera calle a la derecha y está en la calle Miguel de Unamuno. A cien metros, más o menos, hay un banco a mano derecha. La calle detrás del banco es La Calle Santa Teresa ¡y es donde vivo yo! Mi casa está a la izquierda, al lado del Bar Marruecos. A pie, está a unos diez minutos de la estación ...

 **Escucha**

16 ▸ **El mapa**

NVQ Level: 1 L1.2

Look at the map to familiarise yourself with the street names and buildings. Then listen to the statements about the map and write down in Spanish the numbers of the statements which are true. (You can listen to the statements several times.) Do not write anything unless you are convinced it is true.

Mira el mapa, escucha, y escribe los números de las frases correctas.

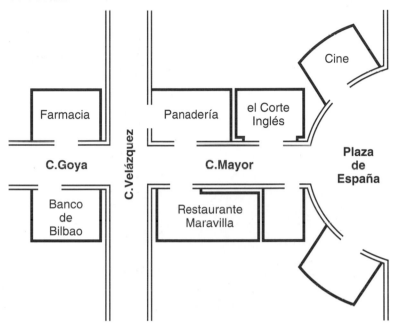

17 Las conversaciones

NVQ Level: 1 L1.1

Listen to the six people asking for directions to places, while you look at the two sets of pictures. For each one, write a letter for the place and a number for the instruction. You may have to listen several times before you can write the answers confidently.

Escucha, y mira los dibujos. Empareja las instrucciones con los sitios.

Por ejemplo: 1. b2

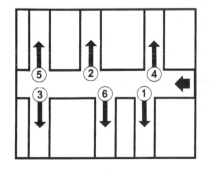

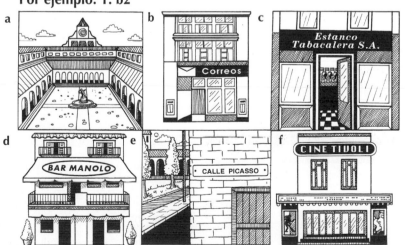

La vida hispánica

Ciudades y pueblos

Although the compact nature of Spanish towns is changing as urban sprawl takes over, most towns and cities in Spain have certain characteristic features. There is a main square (**Plaza Mayor**) in even the most humble village. This may boast statues and fountains or simply a patch of greenery surrounded by benches. This feature has crossed the Atlantic and is evident in any of the towns first set up by the Spaniards who colonised the New World. Each town has its **Ayuntamiento** (Town Hall), which is often an elaborate architectural structure.

Churches and cathedrals abound in Spain, and bear witness to the deep-rooted Catholic tradition, as well as housing priceless religious works of art. In big cities the streets are lined with imposing high buildings, both old and new. In the summer, streets are washed down daily to keep the dust down. The hustle and bustle can be deafening during the day as people throng the pavements, and the traffic grinds to a halt. Spaniards are either going about their business, taking a coffee break, or on their way home. For peace and quiet you need to wait till between 1.30 and 4 o'clock. Life pauses as the Spaniards take their long lunch hours and possibly a **siesta** in the time-honoured tradition. The rhythm picks up about 4 o'clock and gains momentum into the small hours of the morning. The town dwellers of Spain enjoy being out and about in their localities, preferring to socialise outside rather than inside the home.

If you want to find what a Spanish town has on offer for the tourist, make your way to the Tourist Office (**Oficina de Turismo**), where you can obtain maps and information.

La pronunciación

The letters **b** and **v** have the same sound in Spanish.

B or v at the start of a word sound like an English b. In other positions, b and v have a more lax sound, almost as if you were going to make a b but did not close your lips. Listen to the following Spanish words:

Barcelona   **v**einte   **V**alencia   **v**oy   **b**anco   **v**erdad

Listen to these words, where **b** and **v** are in the middle of the word:

> llave, autobús, habla, vivo

Listen again to the recordings and repeat the words.

Escucha y repite.

Now listen to these longer sentences.

> Mire, **vaya** por esta calle.
> Juan, ¿**vamos** a la biblioteca?
> Continúe por la calle **Vigo** hasta el **bar**.
> **Vivimos** en la parte **vieja** de **Barcelona**.

When you are confident that your version matches the recording, you can reward yourself with **un vaso de vino, un vermú o un vodka con limón!**

¡Estás en España!

In this role-play you will take the part of **tú**. Remember, there is usually more than one way of saying your part. The recording will tell you if you made an appropriate response. You can also check your answers against the transcript at the back of the book.

 **En la calle**

NVQ Level: 1 S1.1

In the street you stop a passer-by to ask directions. Listen to the prompts, and say your part in the conversation before we do.

Habla.

Señor:	Hola.
Tú:	....
Señor:	¿Por aquí? A ver … Sí, en la calle Ortega.
Tú:	....
Señor:	Siga hasta la esquina, cruce la calle Vigo y es la primera a la derecha.
Tú:	....
Señor:	Exactamente.
Tú:	....
Señor:	¡Qué va! Está a cinco minutos de aquí.
Tú:	....

19 ¿Por dónde voy?

NVQ Level: 1 S1.2

Give instructions in Spanish corresponding to these signs.

Habla.
Por ejemplo: Tome la primera calle a la derecha.

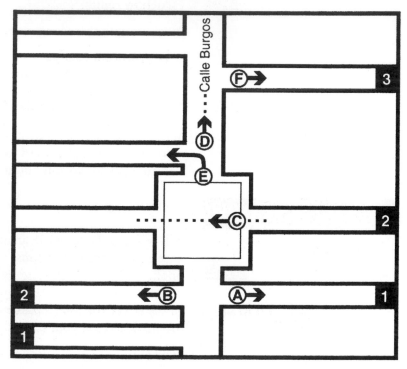

Calle Burgos

Objetivo ❶ ✔

20 ¿Dónde está?

NVQ Level: 1 S1.1

Can you ask where places are? Think of several places in your town, for example the Post Office, and try asking where they are in Spanish: You can either use **¿Dónde está?** or **¿Para ir a/al . . . ?**

Objetivo ❷ ✔

21 ¿Cerca/o lejos?

NVQ Level: 1 S1.1

What about finding the second objective – finding the best way, and if places are near or far? Try saying these expressions in Spanish.

Di las frases en español.

a. Is it better to go by bus?
b. Is it far from here?
c. Is the hotel near here?
d. Is it far on foot?
e. Is there a bus stop near?

Objetivo

22 Vaya a la izquierda

NVQ Level: 1 S1.2

How well do you remember the instructions you learned in this unit? Imagine you are giving a Spanish visitor instructions from your house or college to the town centre. Make them as simple as you can, for example *Vaya a la izquierda …*

¡Socorro!

Preguntas y respuestas

NVQ Level: 1R1.1

◆ If you need more practice on the main points of this unit, match the appropriate responses from column B to the questions in column A. Read the dialogues again if you need to.

A	B
1. ¿Está lejos El Corte Inglés?	a. Sí, sí, continúe por aquí.
2. ¿Hay un autobús que pasa por allí?	b. No, no cruce la plaza.
3. ¿Es mejor ir a pie?	c. Sí, sí; al final.
4. ¿Está al final de la calle?	d. Sí, el número cuatro.
5. ¿Cruzo la plaza?	e. ¡Qué va! Está muy cerca.
6. ¿Sigo todo recto?	f. No, es mejor ir en autobús.

Unidades 1, 2, y 3

Repaso 1

1 Busca la palabra

Here's a word quiz – underline the odd one out and give the reason in English.

Subraya la palabra diferente. Di la razón.

Por ejemplo: 1 = vista. *The others are adjectives*

1. cómodo/elegante/grande/vista
2. francés/inglesa/italiano/español
3. hay/es/está/soy
4. farmacia/panadería/catedral/zapatería
5. todo recto/a la izquierda/la esquina/a la derecha
6. bebo/como/quiero/está
7. cinco/quince/catorce/cincuenta

2 En el bingo

NVQ Level: 1 L1.2

To test your memory of numbers, listen to the bingo caller. Put a line through the numbers you hear.

Busca los números.

80	12	15	17
13	22	36	14
42	62	99	96
65	58	27	77

3 Al contrario

A quick quiz: give the opposite of the following words or expressions.

Escribe el contrario.

noche	....	cerca	....
hombre	....	hola	....
a la derecha	....	doble	....

4 Frases

NVQ Level: 1 L1.1

Match the sentences you hear with the pictures. Write down the letters of the pictures in the order you hear them.

Escribe en orden las letras de los dibujos.

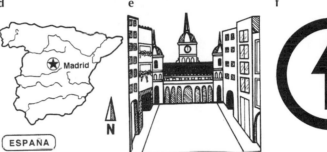

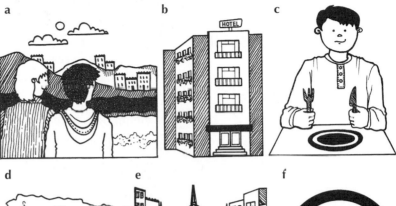

5 Me presento
I introduce myself

NVQ Level: 1 S1.2

How would the following people introduce themselves? Each one says what his or her name is, and makes one statement about themselves. Say the sentences in Spanish.

Di las frases.
Por ejemplo: 1. Mi nombre es Antonio, y trabajo en un banco.

1. .... Antonio .... banco.
2. .... Pedro.............. estudiante.
3. .... Teresa .... calle Cervantes, número 22.
4. .... Mercedes .... española.
5. .... Conchita .... González.
6. .... Roberto .... de Barcelona.

6 Preguntas y respuestas

NVQ Level: 1 W1.1

Questions and answers. Write the questions which produced the following responses.

Escribe las preguntas.
Por ejemplo: a. Soy de París.   ¿De dónde eres?

a. Soy de París.
b. Vivo en Madrid.

c. Trabajo en un banco.
d. No, no soy profesor.
e. Correos está en la Avenida de San Antonio.
f. No, no voy a la plaza.
g. Me llamo Juan.

7 Rellena los espacios

¡Contra el reloj! (Against the clock) Finally, test your knowledge of verbs by filling the gaps in the following sentences. See if you can do this activity in one minute.

Escribe los verbos.
Por ejemplo: 1. ¿Por dónde se va a la catedral?

1. ¿Por dónde se .... a la catedral?
2. Juan y Maite .... de Madrid.
3. .... todo recto.
4. En la esquina ....una farmacia.
5. ¿Qué .... , Antonio? Una postal a mis amigos.
6. Quiero .... una reserva.

4 unidad cuatro

En un bar

In a bar

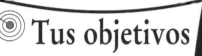

Tus objetivos

1 Talking about going to a bar

2 Asking about and ordering drinks and snacks

3 Paying the bill

The **bar** is one of the centres of Spanish life, where Spanish people enjoy many sorts of drinks and snacks, chat to their friends, or even do business.

1 Talking about going to a bar

1 ¿Vamos a tomar una copa? Shall we have a drink?

Lee, escucha y repite.

Miguel:	¡Hola, Antonia! ¿Qué tal?
Antonia:	Estoy muy bien, gracias Miguel.
Miguel:	¿Tienes tiempo de tomar una copa?
Antonia:	Bueno, sí, ¿por qué no?
Miguel:	Pues aquí mismo en este bar, ¿no?
Antonia:	¿El bar del Centro? ¿Por qué no vamos a ese bar, al otro lado de la calle?
Miguel:	¿El Bar Pepe? Sí, allí hay una gran variedad de tapas.
Antonia:	¿Hay mejillones? Me encantan los mejillones.
Miguel:	Antonia, los mariscos de Pepe son estupendos. Hay gambas a la plancha, calamares …
Antonia:	¿Como aquel restaurante cerca del puerto?
Miguel:	Bueno, casi igual, pero son tapas …
Antonia:	¡Estupendo! Voy a tomar un agua mineral y unos mejillones … No … una cerveza y unas mejillones. Vamos.

Palabra por palabra

muy bien	very well	estupendos	marvellous
¿tienes tiempo de …?	have you time to …?	las gambas a la plancha	grilled prawns
tomar una copa	to have a drink	los calamares	squid
¿por qué no?	why not?	aquel	that
aquí mismo	right here	el puerto	the harbour
este bar	this bar	casi igual	almost the same
ese bar	that bar		
al otro lado	on the other side	voy a tomar	I'm going to have
una gran variedad	a great variety	el agua mineral	mineral water
me encantan los mejillones	I adore mussels	la cerveza	beer
los mariscos	seafood	vamos	let's go

Las frases clave

In the dialogue you met the words for *this* and *that* (demonstrative adjectives). Look at these examples and work out how they are used:

Aquí mismo, en **este** bar	Right here, in this bar.
Está aquí, en **esta** calle	It's here, in this street.
¿Por qué no vamos a **ese** bar?	Why don't we go to that bar?
El cine está en **esa** plaza.	The cinema is in that square.
Me encanta **aquel** restaurante en Alicante.	I adore that restaurant in Alicante.
Aquella ciudad está muy lejos.	That city is very far away.

As you can see, there are two forms for each singular demonstrative adjective; masculine and feminine (e.g. **este** and **esta**). There are also two words for *that*: **ese/esa** and **aquel/aquella**. **Ese/esa** is used for things which are relatively close to the person speaking, while **aquel/aquella** is used for things which are relatively far away.

2 ¿Este, ese o aquel?

Imagine you want to go to the places in this picture. Distinguish between places which are in the foreground, the middleground or the background.

Di las frases en español.
Por ejemplo: Quiero ir a esta cafetería.

You have seen how Spanish indicates possession:

El nombre de la profesora es María.	The teacher's name (literally the name of the teacher) is María.
Los mariscos de Pepe son estupendos.	Pepe's seafood is marvellous.

Note that there is no 'apostrophe s' (*'s*) in Spanish:

Éste es **el vino de María**.	This is María's wine.
Estamos **en el bar de Paco**.	We are in Paco's bar.

You have also seen some more examples of how **a** and **el** make **al** and **de** and **el** make **del**:

¿Vamos a ese bar cerca **del** puerto?	Are we going to that bar near the harbour?
al otro lado de la calle	on the other side of the street

3 La casa del estudiante

Now you can say that things belong to people. Say the sentences in Spanish.

Di las frases en español.

1. It is the student's house.
2. It is Lisa's room.
3. They are the teacher's keys. (a male teacher)
4. It's the taxi-driver's mistake. (*el error* = the mistake)
5. It is Pedro's hotel.

2 Asking about and ordering drinks and snacks

4 En el bar

Lee, escucha, y repite.

Camarero:	¿Señores? ¿Café?
Miguel:	No, dos cervezas, por favor, y dos raciones de mejillones.
Camarero:	Lo siento, mejillones no hay.
Miguel:	¡No hay mejillones! Entonces, esas tapas; ¿de qué son?
Camarero:	Hay boquerones, gambas, empanadillas, pinchos morunos, jamón serrano …
Miguel:	Entonces, para mí una ración de estas empanadillas aquí. Son muy ricas. ¿Y tú, Antonia?
Antonia:	Voy a tomar unas gambas… No, unos boquerones … son deliciosos.
Camarero:	Y las cervezas; ¿caña o botella?
Miguel:	¿Tiene alguna cerveza extranjera?
Camarero:	Hay cerveza alemana.
Miguel:	Muy bien, una botella grande de esa cerveza alemana. ¿Antonia?
Antonia:	Una botella pequeña.
Camarero:	Muy bien, dos botellas: una grande y una pequeña. Con empanadillas y boquerones. En seguida.

Palabra por palabra

el camarero	the waiter	jamón serrano	(naturally cured) ham
el café	coffee		
las raciones	portions	para mí	for me
lo siento	I'm sorry	deliciosos	delicious

¿de qué son?	what do they consist of?	caña	draught (beer)
		una botella	a bottle
unos boquerones	some anchovies	extranjera	foreign
empanadillas	meat or fish pasties	pequeña	small
		en seguida	at once
pinchos morunos	small pork kebabs		

Las frases clave

Hay una gran variedad de tapas.	There is a great variety of appetisers.
Hay gambas a la plancha.	There are grilled prawns.
En España **hay** muchos bares.	In Spain there are many bars.

Hay is particularly useful in places such as bars, restaurants and shops, when you want to know if certain things are available:

¿**Hay** mejillones?	Are there mussels?
¿**Hay** vino de la casa?	Is there any house wine?

You have also seen **hay** used negatively:

No hay mejillones.	There are no mussels.

 **5 ¿Hay...?** Practise using ¿Hay...? by asking for these things in Spanish.

 **Di las preguntas en español.
Por ejemplo: ¿Hay cerveza?**

Now try changing the same sentences to say that there is none of something.

Por ejemplo: No hay cerveza.

The following sentences contain some useful examples of plurals:

Los camareros trabajan de siete a dos.	The waiters work from seven till two.
Las tapas aquí son deliciosas.	The appetisers here are delicious.
Las raciones son muy pequeñas.	The portions are very small.

| ¿Vas a tomar **unos boquerones**? | Are you going to have some anchovies? |
| No, voy a tomar **unas empanadillas**. | No, I'm going to have some pasties. |

You can see that to make a noun plural, you normally just add **s**:

| camerer**o** | camerer**os** | tap**a** | tap**as**. |

If the noun ends in a consonant, we add **es**:

| bar | bar**es** | boquerón | boquer**ones** | ración | racion**es**. |

(The accent on the **o** disappears in the last two examples.)

The word for *the* changes too:

| **el** pincho | **los** pinchos | **la** botella | **las** botellas. |

The word for *a* becomes **unos** or **unas**, and means *some*:

| **un** boquerón | **unos** boquerones (*some anchovies*) |

| **una** aceituna | **unas** aceitunas (*some olives*) |

Señores can mean *sir and madam* as well as *gentlemen*. This is because the masculine plural can be used to include one masculine and one feminine.

 **¡Quiero más!** Practise plural nouns by saying you want or are going to have more of these things.

Di qué quieres o que vas a tomar más.
Por ejemplo: Quiero una botella de vino. Quiero unas botellas de vino.

1. Quiero **una ración** de calamares.
2. Voy a tomar **la empanadilla**.
3. Quiero **un pincho** de aceitunas.
4. Voy a tomar **una tapa** con **la cerveza**.
5. Vamos a tomar **el vino** de la casa.

Say what your new sentences mean.

Now look at these sentences and observe what happens to adjectives in the plural:

Estos boquerones son **deliciosos**.	These anchovies are delicious.
Para mí, una ración de **estas aceitunas**.	For me, a portion of these olives.
Quiero un pincho de **esos calamares**.	I would like a small portion of that squid (*those squids*).

> **Esas tapas** están muy **ricas.**
>
> Those appetisers are very good.

> **Aquellos** bares son **estupendos.**
> Me encantan **aquellas** gambas.
>
> Those bars are marvellous.
> I adore those prawns.

As you can see, the Spanish for *these* is **estos/estas**, and *those* is **esos/esas** or **aquellos/aquellas.** Adjectives also add an **s** in the plural: **estupendos, ricos.**

7 **¡Estos calamares son deliciosos!**

You are at a party. Your Spanish friends are really enthusiastic about the food and drink! What are they saying?

Di las frases en inglés.

3 Paying the bill

8 ¿Cuánto es?

Lee, escucha y repite.

Miguel:	¿Cuánto es?
Camarero:	Aquí está la cuenta.
Miguel:	Gracias … ¡Dos mil setecientas pesetas! ¿Pero no hay algún error?
Camarero:	Eh, vamos a ver … cuatro cervezas alemanas, grandes …
Miguel:	No; dos grandes y dos pequeñas.
Camarero:	Vale … una cerveza grande cuesta trescientas … Eh … y las tapas; dos de aceitunas y dos de mejillones …
Miguel:	No; dos de aceitunas y dos de boquerones.
Camarero:	Pero el precio es igual.
Miguel:	En total, entonces, son dos mil doscientas pesetas.
Camarero:	Lo siento; sí, dos mil doscientas.
Miguel:	Tenga; dos mil quinientas. Trescientas de propina.
Camarero:	Muchas gracias, señores.
Miguel:	De nada. Adiós.

Palabra por palabra

¿cuánto es?	how much is it?	igual	the same
dos mil setecientas pesetas	2700 pesetas	en total	in total
algún error	some mistake	dos mil doscientas	2200
vamos a ver	let's see	tenga	here you are
cuesta	it costs	dos mil quinientas	2500
trescientas	300	de propina	as a tip
las aceitunas	olives		

Las frases clave

These sentences show how the form of **alguno** (*some*, *any*) changes:

No tengo dinero **alguno**.	I haven't got any money.
Hay **algún** error.	There is some mistake.
Sí, hay **algunos** errores en la cuenta.	Yes, there are some mistakes on the bill.
¿Tiene **alguna** cerveza extranjera?	Have you any foreign beer?
¿Tiene **algunas** tapas especiales?	Have you any special *tapas*?

Alguno becomes **algún** before a masculine singular noun.

Grande means *big* when it comes after the noun:

Una cerveza **grande** cuesta trescientas pesetas.	A large beer costs 300 pesetas.
Dos cervezas **grandes**, por favor.	Two large beers, please.

In this unit you have met another use of **grande**:

Es un **gran** vino.	It's a great wine.
Hay una **gran** variedad de tapas.	There is a great variety of *tapas*.

The rule is that **grande** before the noun means *great*, and it becomes **gran** before any singular noun. You will find this also in the place-name **Gran Bretaña** *Great Britain*.

As there are some new words there, listen to the recording of the sentences, and repeat them.

Escucha y repite.

9 ¿Tiene algún vino castellano?

Ask the waiter whether he has any of the items in the picture.

Por ejemplo: Vino castellano ¿Tiene algún vino castellano?

Now practise **gran** by saying that those items are great!

Por ejemplo: Es un gran vino castellano. *It's a great Castilian wine.*

10 Los números

Before learning the numbers above 99, revise the numbers in Unidad 2, page 36.

Here are the numbers from 100 upwards. Can you can spot the patterns and the irregularities?

100	cien	700	setecientos(as)
125	ciento veinticinco	800	ochocientos(as)
150	ciento cincuenta	900	novecientos(as)
200	doscientos(as)	1000	mil

300	trescientos(as)	2000	dos mil
400	cuatrocientos(as)	10.000	diez mil
500	quinientos(as)	100.000	cien mil
600	seiscientos(as)	1.000.000	un millón

Listen to the recording of these numbers and practise saying them.

Escucha y repite.

There are two words for 100: **cien** and **ciento**. *Cien* is the usual word; **ciento** is used before other numbers. To make larger numbers, simply add the tens and units to the hundreds, with **y** between tens and units: **doscientos ochenta y nueve** = 289. As you saw in the last dialogue, the *hundreds* have a feminine form ending in **-as** before a feminine noun: **cuatrocient*as* peset*as***. There are three irregular *hundreds*: **quinientos**, **setecientos** and **novecientos**. The word for 'one thousand' appeared in *Unidad 2*: **mil** (see page 31). **Un millón** has **de** before a noun: **un millón *de* pesetas** = 1.000.000 pesetas.

Practise numbers by writing down a series of numbers of four, five or six digits, (eg 3.478; 34.601; 549.320) and saying them in Spanish. When you feel quite confident with them, try the following activity.

11 ▸ Los precios

Say the prices of these items in Spanish.

Di los precios en español.
Por ejemplo: Cinco mil quinientas pesetas.

La vida hispánica

Bares y cafeterías

Spanish and Latin-American people spend much more time in bars (**bares**) and restaurants than people in many other countries. The bars are open all day and most of the night. People will call in for coffee and croissants (**café y cruasanes**) for breakfast, a drink and a sandwich (**un bocadillo**) at lunchtime, or alcoholic drinks and **tapas** at any time, but especially in the evening. Sandwiches are most likely to be of cheese (**bocadillos de queso**) or of ham (**bocadillos de jamón**). Many bars will have their own specialities, both in food and drink. A variety of **tapas** will normally be available, and you may be given olives, peanuts or crisps (**aceitunas, cacahuetes o patatas fritas**) with your drink. When these **tapas** consist of sizeable portions (**raciones**), a charge is made for them.

Bares are busy, noisy places. There will be people eating and drinking at the counter (**en la barra**); it is usually cheaper to do this. Others will be seated at tables (**en la mesa**), which is slightly more expensive. Most bars have a television set which will be on permanently, with hardly anybody watching unless a football match is being shown, when almost everybody will be watching and shouting encouragement or disapproval.

Cafeterías are larger, slightly more up-market establishments, with more emphasis on non-alcoholic drinks.

The number and variety of bars and **cafeterías** is enormous. There are no better places to see Spaniards or Latin Americans relaxing, and to feel a truly Hispanic atmosphere.

Las tapas son deliciosas

Palabra por palabra

Más tapas

tortilla española	Spanish omelette
queso manchego	Manchegan cheese (from La Mancha, in central Spain)
ensaladilla rusa	Russian salad
atún	tuna
pulpo	octopus
boquerones	anchovies
mejillones	mussels
gambas	prawns
calamares	squid
patatas bravas	fried potatoes in spicy sauce
empanadillas	fish or meat pasties
jamón serrano	(naturally) cured ham
albóndigas	meat balls
champiñones	mushrooms

There are some new words on the previous page. To find out what they sound like, listen to them on the recording. As each word is said, show you can recognise it by finding it on this page. Then, to practise the pronunciation, play the recording again and repeat the words.

Lectura

12 La carta
The menu

NVQ Level: 1 R1.2

In a Spanish bar, you see this price-list:

Bebidas	
Café con leche	100
Café solo	100
Té	120
Vino blanco	100
Vino tinto	100
Cerveza española: Grande	250
Pequeña	200
Cerveza extranjera: Grande	300
Pequeña	250
Whiskey	250
Coñac	250
Gin	230
Tónica	100
Zumo de fruta	100
Agua mineral	100

Raciones

Atún	200
Calamares	200
Mariscos: Boquerones	150
Mejillones	150
Gambas a la plancha	200
Tortilla española	150
Queso manchego	150
Ensaladilla rusa	180
Patatas bravas	150
Empanadillas	180
Jamón serrano	100
Jamón York	120
Aceitunas	80
Champiñones	100

Bocadillos

de queso	200
de jamón	200

Cruasán

	100

Can you work out the meaning of these words?

café con leche, café solo, vino blanco, vino tinto, bebidas, zumo de fruta, bocadillo, cruasán

juice, sandwich, croissant

White coffee, black coffee, white wine, red wine, drinks, fruit

Now imagine that it's the end of your holiday in Spain. You and your friend have roughly 1000 pesetas to spend in ready cash. Write down in English what you would buy with the money. Your friend wants to know what else there is on the menu; can you explain everything to her?

13 **La nota**   You receive this note from your Spanish friend. Note down in English the main points in it.

¡Hola! Voy al bar Fonseca. ¿Quieres ir a tomar una copa? Está en la Plaza Mayor, cerca del Banco Central. Hay unas tapas estupendas, y tienen muchos vinos y cervezas. O tomamos un café, si quieres. Tienen unos bocadillos deliciosos también. Hasta luego,

Elena

Escucha

14 ¿Qué quieres?

NVQ Level: 1 L1.1

Listen to the recording and write down in English what the six people order in the bar.

Escucha y escribe en inglés.

Marisa <u>Coffee and croissant</u>
Luis ....
Patricia ....
Sebastián ....
Yolanda ....
Miguel ....

15 La cuenta

Look at these three bills while you listen to the recording. Which one corresponds exactly to what the waiter says?

Lee y escucha.

NVQ Level: 1 L1.1

Cuenta A

3 cafés	300
2 vinos tintos	220
1 cerveza pequeña	230
1 ración de mejillones	150
2 pinchos morunos	240
Total 1.140 pts	

Cuenta B

3 cafés	300
2 vinos blancos..............	220
1 cerveza grande	350
1 ración de boquerones	150
3 pinchos morunos	340
Total 1.360 pts	

```
         Cuenta C
         ●●●●●●●●●●●●
3 cafés ........................    300
2 vinos tintos ................    220
1 cerveza pequeña .........    250
1 ración de boquerones      150
2 pinchos morunos ........    240
                    Total  1.160 pts
              ●●●●●●●●●●●●●●●●●●●
```

La pronunciación

In most of Spain, **c** before **e** or **i** sounds like the *th* in *thin*, and **z** also has this sound. Pronouncing these letters in this way is called **el ceceo**. Before other letters, **c** sounds like **k**. In the south of Spain and in South America, the *th* sound becomes *s* (this is called **el seseo**).

To practise **el ceceo**, listen to the recording and repeat the words.

Escucha y repite.

> cien cincuenta cerca centro cerveza precio ración Venezuela
> copa calle cuesta casa

Now to practise **el seseo**; listen and repeat.

Escucha y repite.

> cien cincuenta cerca centro cerveza precio ración Venezuela

¡Estás en España!

16 ¡Camarero!

NVQ Level: 1 S1.2

You are in a bar in Spain. Listen to the prompts on the recording and try to say the answers before you hear them on tape.

Escucha y habla.

17 ¡La cuenta, por favor!

NVQ Level: 1 S1.3

You are paying the bill for yourself and some friends. Listen to the prompts on the recording to make the correct responses.

Escucha y habla.

¿Éxito?

Objetivo

18 ¡Vamos al bar!

NVQ Level: 1 W1.2

Imagine you have a Spanish friend staying with you. Write them an invitation to go to your favourite bar with you. Suggest what you might have to drink and eat.

Escribe.

Objetivo

19 Aquellas gambas, por favor

NVQ Level: 1 S1.1

Look back to the list of *tapas* on page 66 and activity 12 on page 67. Practise ordering items to eat and drink in a bar in Spain, imagining whether they are near or far from you. For example 'Those prawns over there, please.' *Aquellas gambas, por favor*. Now look again at activity 12 and practise 'paying the bill' by 'checking the prices with the waiter'. Say the price of what you ordered in Spanish.

Habla.

¡Socorro!

◆ If you are still unsure about Objective 1, go back to Activity 13 on page 71 and rewrite the Spanish note to say the following:

You are going to the Bar Pepe. It's in the calle Salas, near the traffic-lights. There are good tapas, and many good wines. Or you could have fruit juice. They also have some delicious seafood.

◆ If you are still having problems with Objective 2, look again at the list of drink and food items in Activity 12 on page 70, and order your favourite drinks and snacks in Spanish, then explain to an imaginary friend what you have ordered.

◆ Finally, for more practice on Objective 3, look again at Activity 8 on page 66 and rewrite the conversation, substituting new things to eat and drink, and new prices, in Spanish.

5 *unidad cinco*

Comida y bebida

Food and drink

Tus objetivos

1 Shopping for food and drink

2 Telling the time

3 Eating out in a restaurant

1 Shopping for food and drink

1   **En la carnicería   At the butcher's**

Read the dialogue several times and when you are confident that you understand it, listen and repeat each sentence.

Escucha y repite.

Elena:	¡Hola, buenos días!
Carnicero:	Buenos días. ¿Qué le pongo?
Elena:	Pues… ¿qué hay de oferta?
Carnicero:	Hay bistec, a 1.850 pesetas el kilo … y chuletas de cordero, a 1.400 pesetas el kilo … y hay pollo a 270 pesetas el kilo.
Elena:	¡Huy! el bistec es muy caro. ¿No hay chuletas de cerdo?
Carnicero:	Sí, claro, a 625 pesetas el kilo.
Elena:	Pues … un pollo de dos kilos y cuatro chuletas de cerdo.
Carnicero:	Muy bien, el pollo son 540 pesetas y las chuletas de cerdo son 600 pesetas. ¿Algo más?
Elena:	Sí, quisiera salchichas, también.
Carnicero:	Un momento, traigo más. ¿Cuántas quiere?
Elena:	Quisiera medio kilo.
Carnicero:	Son 415 pesetas. ¿Algo más?
Elena:	No gracias. ¿Cuánto es?
Carnicero:	En total son 1.555 pesetas.

Palabra por palabra

¿qué le pongo?	what can I get you?	una salchicha	a sausage
		¿algo más?	anything else?
de oferta	on offer	quisiera	I would like
tengo bistec	I have steak	un momento	a moment/
el kilo	per kilo		just a
cordero	lamb		minute
pollo	chicken	traigo	I'll bring
¿no tiene chuletas de cerdo?	haven't you any pork chops?	medio kilo	half a kilo

Las frases clave

¿Qué hay de oferta?	What's on offer?
Quisiera salchichas.	May I have/ I would like sausages.
Traigo más salchichas.	I'll bring more sausages. (literally: 'I bring …')

In this dialogue you have seen and heard the use of **quisiera** *may I have?*. **Quisiera** can be used in place of **quiero** *I want*.

2 Comprando carne

Listen to the people in the butcher's and match the Spanish sentences with the pictures.

Escucha y empareja las frases con los dibujos.
Por ejemplo: 1c

3 Quiero y quisiera

Look again at Activity 5 on page 26 of *Unidad 2*. Replace **quiero** with **quisiera**.

You have also seen and heard **traigo** *I bring*, from the verb **traer**. This verb follows the normal **-er** verb pattern except for the word **traigo**:

traigo   traes   trae   traemos   traéis   traen

4 El verbo traer

Look at these pictures and say that you are bringing more of these things.

Mira los dibujos y di que traes más.
Por ejemplo: ¡Traigo más salchichas!

1.   **2.**   **3.**

5 En la frutería-veduleria
At the greengrocer's

Read the dialogue between Elena and the greengrocer (**verdulero**) looking up new words in **Palabra por palabra**. Then listen to the dialogue and pretend to be Elena. Pause the tape and repeat each sentence she says.

Lee, escucha y repite.

Elena:	¡Buenos días!
Verdulero:	¡Hola! Elena. ¿Qué le pongo?
Elena:	Pues … quisiera dos kilos de patatas, medio kilo de zanahorias y tres cebollas.
Verdulero:	Bueno las patatas son 110 ptas, las zanahorias son 50 ptas y las las cebollas son 80 ptas. ¿Algo más?
Elena:	Sí, fruta. Un kilo de naranjas y medio kilo de uvas.
Verdulero:	Las naranjas son 215 ptas y la uvas 150 ptas. ¿Algo más?
Elena:	¡Huy sí! un melón.
Verdulero:	¿Éste?
Elena:	No, quisiera aquél. ¿Está maduro?
Verdulero:	¡Sí, éste está perfecto! Son 190 ptas. ¿Algo más?
Elena:	Sí, medio kilo de tomates y un pepino.
Verdulero:	Bueno … los tomates son 95 ptas y el pepino son 85 ptas. ¿Algo más?
Elena:	No, gracias. ¡Ya está!

Verdulero:	¿Quiere una bolsa?		
Elena:	No, traigo varias, gracias ¿Cuánto es?		
Verdulero:	Pues … en total …		

Palabra por palabra

las zanahorias	carrots	¿está maduro?	is it ripe?
las cebollas	onions	perfecto	perfect
las naranjas	oranges	los tomates	tomatoes
las uvas	grapes	un pepino	a cucumber
un melón	a melon	¡ya está!	that's it!
¿éste?	this one?	una bolsa	a bag
aquél	that one	varias	several

Las frases clave

In *Unidad 4* you met *this* and *that* (demonstrative adjectives) and learned how to use them. Look again at page 62 if you are not sure.

In this unit you have seen **éste/ésta** *this one*, **ése/ésa** *that one* and **aquél/aquélla** *that one (over there)* (demonstrative pronouns):

¿Éste? No; quisiera aquél.	This one? No, I would like that one over there.
This one is good.	**Éste** es bueno.
That one is good too.	**Ése** es bueno también.
That one over there is better	**Aquél** es mejor.

Follow the same rules that you learned in *Unidad 4* when you want to use these pronouns in the plural form. For example: **éstos** = *these ones*. (See page 60 or the Grammar Summary if you are not sure).

 **6 Este y éste**

Rewrite the following sentences using this one/that one/that one over there.

Escribe.
Por ejemplo: 1. Sí, éste está maduro.

1. ¿Este melón está maduro?
2. ¿Esta chuleta es de cerdo?
3. ¿Estos tomates son buenos?
4. ¿Estas tapas son caras?
5. ¿Ese hotel es moderno?

6. ¿Esa terraza es magnífica?
7. ¿Aquel restaurante es bueno?
8. ¿Aquella habitación es grande?
9. ¿Aquellos estudiantes son ingleses?
10. ¿Aquellas camas son cómodas?

Frutas y veduras

FRUTERÍA - VERDULERÍA

| 1 | 2 | 3 |
| 55 ptas / kg | 118 ptas / kg | 100 ptas / kg |

| 4 | 5 | 6 | 7 |
| 120 ptas / unidad | 195 ptas / kg | 90 ptas / kg | 175 ptas / kg |

| 8 | 9 | 10 | 11 |
| 155 ptas / kg | 190 ptas / unidad | 30 ptas / unidad | 325 ptas / kg |

| 12 | 13 | 14 | 15 |
| 165 ptas / unidad | 270 ptas / kg | 185 ptas / kg | 55 ptas / unidad |

Match the pictures with the names in Spanish.

Empareja los dibujos con los nombres.
Por ejemplo: 1b

a. limones	**c.** uvas	**e.** tomates	**g.** pepino
b. patatas	**d.** coliflor	**f.** zanahorias	**h.** pimientos
i. melones	**k.** plátanos	**m.** naranjas	**o.** manzanas
j. cebollas	**l.** champiñones	**n.** lechuga	

Now listen to the recording and repeat the names of the items. Make sure you can identify each one on the picture as you hear it.

Escucha y repite.

 En la panadería/ pastelería At the baker's/patisserie

Read the dialogue between Elena and the baker (**panadero**). Then listen to the dialogue several times. Finally pretend you are shopping for bread and cakes, pausing the tape and repeating after Elena.

Lee, escucha y repite.

Panadero:	Buenos días. ¿Qué le pongo?
Elena:	Quisiera una barra de pan.
Panadero:	¿Una barra de un kilo, de medio kilo o de cuarto kilo?
Elena:	Pues … una barra de un kilo y ocho panecillos.
Panadero:	Vale.
Elena:	¿Tiene tarta de fresa? Me gusta mucho.
Panadero:	Sí; tengo una tarta muy rica. ¿Algo más?
Elena:	Cuatro donuts; me gustan los donuts.
Panadero:	¡Cuidado con la línea! Son 750 pesetas.
Elena:	Tenga, mil pesetas.
Panadero:	Gracias. El cambio, 250 pesetas.
Elena:	Gracias, adiós.

Palabra por palabra

una barra	a loaf	la fresa	strawberry
el pan	bread	los donuts	doughnuts
cuarto kilo	a quarter kilo	Cuidado con	Watch your
los panecillos	bread rolls	la línea	figure
una tarta	a tart	el cambio	the change

Las frases clave

Look at how in Spanish the verb **gustar** is used to say *to like/dislike something*:

Me gusta la tarta de fresa. I like strawberry tart. (literally *Strawberry tart pleases me*)

No me gustan los donuts. I don't like doughnuts. (literally *Doughnuts do not please me.*)

9 ◆ El verbo gustar

Say you like these things.

Habla.

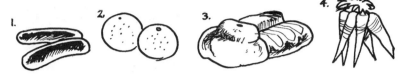

Now say you don't like these things.

Habla.

You can ask a friend if he/she likes something by using **¿Te gusta(an) …?**:

¿Te gusta el bistec?	Do you like steak?
¿Te gustan las chuletas?	Do you like chops?

Ask your friend if he/she likes these things:

You have also seen and heard the verb **tener** *to have.*

Tengo bistec.	I have steak.
¿No **tiene** chuletas?	Haven't you any chops?
¿**Tiene** tarta de fresa?	Have you got any strawberry tart?

Tener is an irregular verb. (For its full present tense see the Grammar Summary, page 264.)

A useful word which comes from **tener** is **tenga** *here you are.*

10 ◆ El verbo tener

To practise **tener**, say you have the following things.

Por ejemplo: 1. Tengo trucha.   *I have trout.*

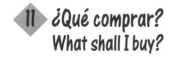 **¿Qué comprar?**
What shall I buy?

 Now ask the shop keeper if he/she has those things:

Por ejemplo: 1. ¿Tiene trucha? *Do you have trout?*

Look at these pictures and match the Spanish names with the pictures. Can you work out the new ones?

Empareja los nombres con los dibujos.
Por ejemplo: 6a. brazo de gitano *(swiss roll).*

a. brazo de gitano.   **b.** donuts.

c. tarta de fresa.   **d.** relámpagos de chocolate.

e. una barra de pan.   **f.** panecillos.

g. pastel de chocolate.   **h.** cruasán.

 Now listen to the recording. Pause the tape and repeat each item after the speaker.

 **En una tienda de comestibles**
At the grocer's shop

Read the dialogue between Elena and the sales assistant (**el dependiente**). Then listen to the dialogue and repeat each sentence.

Lee, escucha y repite.

Elena: Hola, quisiera un tarro de café instantáneo, un paquete de harina, media docena de huevos y una lata grande de atún.

Dependiente: Bueno … café, harina, huevos, y atún. ¿Algo más?

Elena: Sí, 150 gramos de jamón York y 200 gramos de queso.

Dependiente: Jamón York y queso. ¿Algo más?

Elena: ¿Hay leche fresca?

Dependiente: No, hasta mañana no hay.

Elena:	¿A qué hora mañana?
Dependiente:	Mañana por la mañana, a las nueve y media o diez.
Elena:	Bueno … por ahora dos botellas de vino tinto y una botella de agua mineral sin gas.
Dependiente:	Vino y agua. ¿Algo más?
Elena:	No, ¿cuánto es?
Dependiente:	Pues son …

Palabra por palabra

un tarro	a jar	una lata	a tin
instantáneo	instant	el atún	tuna
un paquete	a packet	fresca	fresh
la harina	flour	hasta mañana	until tomorrow
una docena	dozen	por ahora	for now
los huevos	eggs		

13 Una lista de compras

Look at the pictures on the next page and write the English names for all the items you remember on a separate piece of paper. You can check those you don't know or cannot remember by looking at the list printed upside down. After a few minutes return to your piece of paper and see if you can remember the Spanish names!

sugar (azúcar), coffee (café), tea (té), marmalade (mermelada), honey (miel), eggs (huevos), flour (harina), rice (arroz), salt (sal), pepper (pimienta), tinned tuna (latas de atún), bottle of oil (botella de aceite), vinegar (vinagre), red wine (vino tinto), white wine (vino blanco), rosé wine (vino rosado), beer (cerveza), lemonade (limonada), orangeade (naranjada), mineral water (agua mineral), boiled ham (jamón York), cured ham (jamón serrano), spicy red sausage (chorizo), cheese (queso), butter (mantequilla), milk (leche).

TIENDA DE COMESTIBLES

azúcar · café · té · mermelada · miel · huevos

harina · arroz · sal · pimienta · latas de atún · aceite · vinagre

vino tinto · vino blanco · vino rosado · cerveza · limonada · naranjada · agua mineral

jamón de york · jamón serrano · chorizo · queso · mantequilla · leche

❷ Telling the time

You have seen and heard Elena asking *at what time …?* (**¿a qué hora …?**) and the reply *at …* (**a las …**). You will learn how to tell the time with the 24-hour clock in *Unidad 8*. For now let's have a look at how to tell the time with the 12-hour clock.

You can see how to tell the time in Spanish from these diagrams:

¿Qué hora es por favor?

Es la una.
It's 1 o'clock.

Son las dos.
It's 2 o'clock.

Son las tres y cuarto.
It's quarter past 3.

Son las cuatro y media.   Son las cinco menos   Son las doce.
It's half past 4   cuarto.   It's 12 o'clock.
                            It's quarter to 5

For times *past* and *to* the hour, the golden rule is to say the whole hour first:

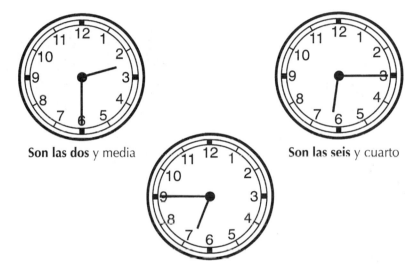

Son las dos y media   **Son las seis** y cuarto

Son las siete menos cuarto

One o'clock is different because the verb is singular: *Es* **la una.**

For odd minutes *past* or *to* the hour, the pattern is:

Son las seis y diez   **Son las ocho** menos veinticinco

Lastly, remember to leave out **es** or **son** when you use **a** *at*, for example:

a la una   at one o'clock
a las once y media   at half past eleven

14 ¿Qué hora es?

i   ii   iii   iv   v

vi   vii   viii   ix   x

Select from the following list the correct time to write under each of the top row clock faces:

1. Es la una menos cuarto.   2. Son las tres y diez.
3. Son las cuatro y cuarto.   4. Son las seis y media.
5. Son las ocho.

Now work out what the time is for each clock face on the bottom row.

Escribe las horas.

3 Eating out in a restaurant

15 Reservando una mesa
Booking a table

Lee, escucha y repite.

Camarera: Buenos días, Restaurante Los Caracoles.
Manolo: Buenos días, quisiera reservar una mesa, para cuatro personas, para esta noche.
Camarera: Sí, señor, ¿para qué hora?

Manolo:	Para las nueve y media.
Camarera:	Sí, tengo mesa. ¿Su nombre, por favor?
Manolo:	Mi nombre es Manolo Rodríguez.
Camarera:	Pues … una mesa para cuatro personas, para las nueve y media de la noche, a nombre de Rodríguez.
Manolo:	¡Correcto! gracias, adiós.
Camarera:	Adiós, señor Rodríguez.

Palabra por palabra

una mesa	a table	esta noche	tonight
para	for	su	your
personas	persons; people		

Las frases clave

Quiero una mesa para cuatro personas.	I want a table for four people.
Quisiera reservar una mesa para esta noche.	I should like to book a table for tonight.
Quiero una mesa para las nueve y media.	I want a table for half past nine.

16 ▸ Voy a llamar al restaurante

Pretend you want to book a table at a restaurant. Speaking into a telephone handset, ask for the following things in Spanish.

Escribe y habla.

1. I SHOULD LIKE TO BOOK A TABLE FOR TWO PLEASE
2. I SHOULD LIKE TO BOOK A TABLE FOR TO MORROW
3. I SHOULD LIKE TO BOOK A TABLE FOR TWO THIRTY

17 ▸ En el restaurante
At the restaurant

Lee, escucha y repite.

Camarera:	Buenas noches. ¿Su nombre, por favor?
Manolo:	Mi nombre es Rodríguez.
Camarera:	Una mesa para cuatro. Sígame por favor.
Manolo:	¡Bueno! ¿Qué vamos a comer de primero?
Luisa:	Yo quiero sopa, mi sopa favorita es 'caldo'.
David:	¡La mía es sopa de pescado!
Marta:	Yo quiero una ensalada mixta. ¿Y tú Manolo?
Manolo:	Pues … mi plato favorito son los pimientos rellenos …
Camarera:	¿Qué van tomar?
Manolo:	¿Tiene sopa de pescado?

Camarera: Sí, sí, tenemos …

Manolo: Pues … de primero; caldo, sopa de pescado, ensalada mixta y pimientos rellenos …

Camarera: ¿Y de segundo?

Manolo: De segundo … Pollo asado con salsa de champiñones, chuletas de cordero a la plancha, con ensalada mixta, bistec con verduras y pato a la naranja.

Camarera: ¿Y para beber?

Manolo: Vino tinto de la casa.

Luisa: ¡Mmm! mi sopa está deliciosa. ¿Y la tuya, David?

David: La mía está estupenda …

Palabra por palabra

sígame	follow me	favorito	favourite
de primero	for first course	rellenos	stuffed
la sopa	soup	de segundo	main course
mi	my	asado	roast
caldo	broth	la salsa	sauce
mía	mine	champiñones	mushrooms
el pescado	fish	las verduras	vegetables
la ensalada	salad	el pato	duck
mixta	mixed	deliciosa	delicious
el plato	dish	la tuya	yours

Las frases clave

¿Qué van a tomar de primero? — What will you have for the first course?

Mi plato favorito son los pimientos rellenos. — My favourite dish is stuffed peppers.

¡Mi sopa está deliciosa! — My soup is delicious!

In this dialogue you have seen and heard the use of some of the possessive adjectives. Here is the complete list:

mi	my	**tu**	your (sing. informal).
su	his/her/your (sing. formal)	**nuestro**	our
vuestro	your (plural informal)	**su**	their/your (plural formal)

Only **nuestro** and **vuestro** change their ending if they describe something feminine:

nuestr**o** vino — our wine
nuestr**a** sopa — our soup

But they all form the plural by adding an **s** in front of a plural noun:

Nuestro**s** cafés están fríos. — Our coffees are cold.

Nuestras sopas están deliciosas. Our soups are delicious.

(You have also seen **tus objetivos** *your objectives*).

Note: In Latin America it would not be customary to use **tu/vuestro**, but to use **su/sus** for both formal and informal.

To show you have understood how the possessive adjectives are used in Spanish, see if you can select the correct form of the possessive adjective to complete these sentences.

18 **¿Qué adjetivo posesivo?**

1. (My)......... .... sopa favorita es 'caldo'.
2. (Our)................ champiñones son deliciosos.
3. (Their)............... cafés están fríos.
4. ¿Cuál es (Your)........... plato favorito? (speaking to a friend)
5. (His)................ sopa está fría.

19 **En la mesa At the table**

Escucha y repite

Camarera:	¿Pollo asado con salsa de champiñones?
David:	Mío.
Camarera:	¿Chuletas de cordero …?
Marta:	Mías.
Camarera:	¿Bistec …?
Manolo:	Mío.
Camarera:	El pato es suyo, ¿verdad?
Luisa:	Sí, ¡claro!
Camarera:	¿Qué van a tomar, de postre?
Manolo:	Un helado de fresa, un flan, un arroz con leche, un yogur y cuatro cafés.
Camarera:	Gracias.
Manolo:	¡Camarera, por favor!
Camarera:	¿Sí, señor?
Manolo:	¡Mire! Nuestros cafés están fríos.
Camarera:	¡Huy! Lo siento. Traigo más café, en seguida.
Manolo:	¡Camarera! La cuenta por favor.

Palabra por palabra

mío	mine	un flan	a creme caramel
suyo	yours	un arroz con leche	rice pudding
el postre	dessert	un yogur	a yoghurt
un helado	an ice-cream	fríos	cold

Las frases clave

¡La mía está estupenda!	Mine is great!
¿El pato es suyo?	Is the duck yours?
Nuestros cafés están fríos.	Our coffees are cold.

In the last two dialogues you were also intoduced to the possessive pronoun:

mío	*mine*	tuyo	*yours (sing. informal)*
suyo	*his/hers/yours (sing. formal)*	nuestro	*ours*
vuestro	*yours (plural informal)*	suyo	*theirs/yours (plural formal)*

You must change the **o** to an **a** in the feminine:

Por ejemplo: El vino es tuy**o**.   The wine is yours.
                          La sopa es tuy**a**.   The soup is yours.

Naturally, both masculine and feminine must agree with the number of the noun; to form the plural add an **s**.

Por ejemplo: Los vinos son **tuyos**.   The wines are yours.
                          Las sopas son **tuyas**.   The soups are yours.

20 ¿Mía o tuya?

Look at this dialogue and complete with the correct form of the possessive pronoun for mine and yours where necessary.

Completa el diálogo.
Por ejemplo: David, ¿el caldo es tuyo?

Marta: David, ¿el caldo es (*yours*)?
David: No, la (*mine*) es sopa de pescado.
Marta: ¿De quién son las chuletas de cordero?
David: ¡Las chuletas son (*mine*)!
Marta: Y ¿de quién son los pimientos rellenos?
Manolo: ¡Son (*mine*).
David: Marta, el bistec con verduras es (*yours*)?
Marta: No, el pato a la naranja es (*mine*).

Notice that when the possessive pronoun comes before the verb, we put **el** or **la** with it:

Por ejemplo: **La** mía es sopa de pescado.   Mine is fish soup.

La vida hispánica

Comida y bebida

Spanish food is rich and varied and renowned for the excellence of the ingredients. Each region has its own speciality. The most well known Spanish dish must be **paella**, typical of Valencia. Eating out is a normal pastime for most Spaniards and there are many restaurants catering for all tastes and budgets. They are classified into five categories, represented by forks.

Throughout Latin American cities you will find smart restaurants serving all kinds of 'cuisine'. These are expensive, however, and most local people eat at food stalls or in cafés, which serve a **comida corrida** (set meal), a much cheaper and popular arrangement. As in Spain there are a number of well-known dishes, such as **burritos**, **fajitas**, **tacos** and **chile con carne**, but in an area as vast as Latin America there are many more waiting to be discovered!

paella   sangría   pan   jamón

burritos   fajitas   tacos   chile con carne

Wine is the national drink; the best known wines from Spain are Rioja wines, Jerez wines, known abroad as 'sherry', and the Catalan Cava, which is a superb sparkling wine. Beer in Spain is cheap and most brands have a low alcohol content. It is served very cold, and rarely with meals. Spanish brandy is well known and sought after; each region has its own speciality. For a refreshing drink nothing can beat a **sangría** (wine, lemonade, fresh fruits and ice).

Latin Americans drink large quantities of sugary soft drinks and mineral water, either carbonated (**con gas**), or still (**sin gas**). Cafés sell expensive bottled lager-type beers. However, a draught beer called *Chopp* (pronounced 'shop') is widely available.

Latin America has in recent years established itself as a great wine-producing area. Rum and **aguardiente** and **tequilla** are popular spirits in most parts of Latin America.

Lectura

21 La receta
The recipe
NVQ Level: 1 R1.2

Read the following step-by-step guide for making Mexican chicken and avocado tacos. Read the whole recipe before you look up any words; you'll be surprised how much you understand!

Lee la receta.

TACOS DE POLLO Y AGUACATE

¡Son deliciosos! ¡Preparados en minutos!
¡La combinación perfecta con una cerveza fría!

Siga la receta, paso-por-paso:

Paso 1.   Corte el tomate y el
aguacate.

Paso 2.   Corte el pollo en tiras, y
corte la cebolla también.
Mezcle el chile en polvo, el
ajo, la sal, la pimienta, la
salsa de tabasco, el pollo y
la cebolla.

Paso 3.   En una sartén fría el pollo y
la cebolla, por unos 4
minutos. Mezcle los otros
ingredientes (el tomate y el
aguacate).

Paso 4.   Ponga la mezcla de pollo
en el centro de una
'tortilla' de 18 cm.

Paso 5.   Doble la 'tortilla' y ¡Ya
está! Sirva inmediatamente.

Now answer the following questions in English.

Contesta las preguntas en inglés.

1. What is said about *tacos* at the beginning?
2. What drink is recommended?
3. Can you work out what *corte el pollo en tiras* means?
4. List all the ingredients required to make the filling for the *tacos*.

5. What ingredients are cooked first?
6. What size tortillas are recommended?
7. Should you allow tacos to rest before serving?

Escucha

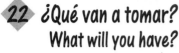

22 **¿Qué van a tomar?**
What will you have?

NVQ Level: 1 L1.2

Listen to the recording and pretend to be taking the orders. Put the correct number of orders against each dish/drink.

Escucha y toma nota.

Por ejemplo: Sopa de tomate 1

Primeros		Segundos	
Sopa de pescado	☐	Pollo asado	☐
Sopa de tomate	☐	Bistec	☐
Ensalada mixta	☐	Chuletas de cerdo	☐
Pimientos rellenos	☐	Salchichas con huevos	☐
Calamares	☐	Merluza con salsa	☐
Gambas a la plancha	☐	Sardinas	☐

Estos platos servidos con patatas y verduras

Postres		Bebidas	
Arroz con leche	☐	Vino tinto	☐
Tarta de manzana	☐	Vino blanco	☐
Yogur natural	☐	Cerveza	☐
Helado de fresa	☐	Agua mineral con/sin gas	☐
Helado de chocolate	☐	Café	☐
Flan	☐	Té con limón	☐

Para mí ...

Now select your own favourite meal by putting a tick beside the items you would like.

La pronunciación

Escucha y mira.
At the beginning of a word **d** is pronounced as in English:

¿**d**ónde? **d**ía **d**os **d**iálogo

Between vowels, or at the end of a word, it sounds like *th* in they:

hela**d**o pesca**d**o comi**d**a Madri**d** ¿verda**d**? Davi**d**.

Now listen again and repeat the words making sure your pronunciation matches the recording.

Escucha y repite.

¡Estás en España!

23 ¡Vamos al restaurante!

NVQ Level: 1 S1.2

Book a table at the La Pampa restaurant. Read the waitress's answers first. Follow the prompts on the recording and speak in the pause. You will hear the Spanish after each pause and hopefully it will be very similar to your own response!

You might find it useful to do this activity by speaking on the telephone.

Habla.

Camarera:	Buenos días, restaurante La Pampa.
Tú:	....
Camarera:	¿Para cuándo?
Tú:	....
Camarera:	¿Para qué hora?
Tú:	....
Camarera:	Pues....lo siento, no hay mesa a las 9:30, pero hay mesa a las 10:15.
Tú:	....
Camarera:	¿Su nombre, por favor?
Tú:	....
Camarera:	Gracias, adiós.
Tú:	....

24 La lista de compras

NVQ Level: 1 W1.2

You have invited friends over for a meal. You are going to treat them to the **tacos de pollo y aguacate** from the recipe you read on page 86. You will serve the **tacos** with a mixed salad, followed by a fresh fuit salad and a variety of drinks to go with the meal. Now write yourself a shopping list in Spanish listing all the items you need.

Escribe.
Por ejemplo: tacos, tomates, aguacates …

25 Una carta

NVQ Level: 1 W1.1

As part of a letter to a Spanish friend, you describe your daily meals:

… A las ocho como café y pan …

Objetivo

 26 Las tiendas

NVQ Level: 1 W1.2

Try writing in Spanish two items you could buy in the following shops

Escribe.

1. Carnicería ....
2. Frutería ....
3. Panadería ....
4. Pastelería ....
5. Tienda de comestibles ....

Objetivo

 27 La hora

NVQ Level: 1 S1.2

Say the time now in Spanish, then add a quarter of an hour, half an hour and an hour. Then do the exercise subtracting those times.

Habla.

28 El restaurante

NVQ Level: 1 S1.2

Look again at activity 17 on page 87. Imagine you are eating out with two friends. Imagine what you would say to the waiter to order for the three of you.

Habla.

¡Socorro!

♦ This unit contains many new words which you would find useful when visiting a Spanish-speaking country. Take it slowly and retain the vocabulary by pretending you are in a shop buying the necessary ingredients for a meal. Then think about the various dishes you might like to order at a restaurant.

6 unidad seis

¿Qué vamos a hacer?

What are we going to do?

Tus objetivos

1. Discussing possible leisure activities

2. Expressing preferences

3. Accepting and declining informal suggestions or invitations

1 Discussing possible leisure activities

1 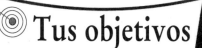 **¿Vamos a salir esta noche?** Are we going out tonight?

Lee, escucha y repite.

Juan:	Maite, soy Juan. ¿Qué vas a hacer esta noche?
Maite:	Pues, nada.
Juan:	Me gustaría salir.
Maite:	No salgo nunca los jueves; estudio.
Juan:	Podemos ir al cine si quieres.
Maite:	No tengo ningún deseo de ir alli.
Juan:	¡Excusas, excusas! ¡Nunca quieres hacer nada! Venga, que pago yo …
Maite:	Pues … No sé …
Juan:	O podemos ir al parque.
Maite:	¡Contigo! ¡Qué va!
Juan:	Pero me conoces …
Maite:	Sí, ¡te conozco muy bien!
Juan:	¿Si vas con una amiga?
Maite:	No tengo ninguna amiga. No conozco a nadie.
Juan:	¡Qué va! Conoces a mi amigo Paco, ¿verdad?
Maite:	Sí, conozco a Paco.
Juan:	Pues él va a ir con nosotros. ¿De acuerdo?
Maite:	Vamos a ir al cine, entonces.
Juan:	¡Genial! Voy a recogerte a las ocho. Hasta luego, Maite.

Palabra por palabra

soy Juan	Juan here (on the phone)	contigo	with you
		¡qué va!	nonsense!
esta noche	tonight	¿de acuerdo?	agreed?
podemos salir	we can go out	¡genial!	brilliant!
los jueves	on Thursdays	recoger	to pick
deseo	wish, desire		(someone) up

Las frases clave

You can use the verb **ir** with **a** to say what you are going to do. (See *Unidad 3*, page 45.)

¿Qué **vas a** hacer?	What are you going to do?
Yo **voy a** pagar.	I'm going to pay.
Vamos a ir al parque.	We're going to go to the park.
Él **va a** ir con nosotros.	He's going to go with us.

You will have seen that when the negative words **nada** *nothing*, **nunca** *never*, **ninguno** *none*, and **nadie** *no-one* come after the verb you need to put **no** before the verb.

No voy a hacer **nada**.	I'm not going to do anything.
No salgo **nunca**.	I never go out.
No tengo **ningún** deseo . . .	I've no wish . . .
No tengo **ninguna** amiga.	I haven't a single friend.
No conozco a* **nadie**.	I don't know anyone.

Notice also that **nada** can mean *not at all*.

No me gusta nada la cerveza.	I don't like beer at all.

Ninguno has three forms:

¿Tienes amigos? No, **ninguno**.	Have you got any friends? No, none.
No tengo **ningún** deseo . . .	I have no wish to . . .
No tiene **ninguna** idea.	He has no idea.
No hay **ningún** bocadillo.	There isn't a single sandwich left.
No tienen **ninguna** reserva.	They haven't any reservations at all.

Ninguno becomes **ningún** before a masculine singular noun.

Here are two ways of saying *I don't know*:

No **conozco** a* Paco.	I don't know Paco.
No **sé** si voy a ir.	I don't know if I'm going to go.

---

* This a is the personal a; you will practise this in *Unidad 11*.

These are parts of the verbs **conocer** and **saber**, which both mean *to know* (see the verb tables in the Grammar Summary, page 264). **Conocer** is used for people or places, and **saber** is used for facts and how to do things. You have also met these examples of **conocer**:

Me **conoces.** You know me.
Te **conozco** muy bien. I know you very well.

To make sure you learn the pronunciation and meaning of these new phrases, listen to them on the tape. You will hear them in a different order. Repeat each one, and find it in the **Las Frases Clave** section. Then play the recording again, cover the English, and say what each one means.

Escucha, busca y repite.

 **Rompecabezas**

Complete this word puzzle. The English equivalents are printed underneath.

Haz el rompecabezas.

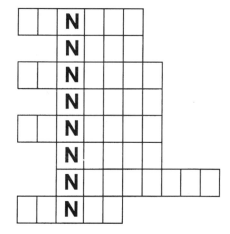

| none | brilliant | night | with you | no-one | us | nothing |
| | | | never | | | |

 Planes

Listen to Concha and Pablo discussing what to do. Play the recording several times, then write down in English:

Escucha a Concha y a Pablo. Escribe las respuestas en inglés.

a. when they are making plans for
b. the two places they discuss going to
c. at what time they agree to meet.

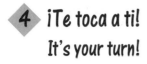 **¡Te toca a ti!**
It's your turn!

You can now make new statements or questions of your own. Say the sentences below in Spanish, then check the solution.

Di las frases en español.

1. What are we going to do this evening?
2. I'd like to go out.
3. We can go to the 'Club Galaxia' if you like.
4. OK, but I don't know anyone.
5. Do you know Carmen?
6. Yes, I know Carmen.
7. Well, she is going to come with us.
8. Brilliant. I'm going to pick you up at eight.

2 Expressing preferences

5 ¿Qué prefieres?

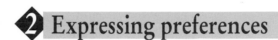

Lee y escucha.

Elena: ¿Qué vas a hacer esta noche, José? ¿Te gustaría salir?
José: Me da igual si salimos o nos quedamos en casa.
Elena: Me apetece ir al teatro.
José: Mira, prefiero …
Elena: ¿Prefieres ir a un partido de fútbol?
José: No; prefiero ir a la discoteca, a bailar. Es mucho mejor.
Elena: ¡La discoteca! ¡Pero en el teatro ponen la obra más famosa de Lorca!*
José: ¡Qué va! La discoteca es mucho más divertida que el teatro …
Elena: ¡Qué joven más intelectual! El teatro puede ser menos interesante, pero está más cerca …
José: Y en coche la discoteca está a diez minutos …
Elena: Oh, muy bien. Prefieres ir a la discoteca. Y supongo que te gusta más bailar y conocer a chicas.
José: Claro; por eso me interesa más. Voy a sacar el coche.

---

*Federico García Lorca: Spanish poet and dramatist; 1898–1936.

Palabra por palabra

Note these phrases for discussing preferences:

te gustaría …?	would you like …?	mucho más	much more
me da igual	it's all the same to me	te gusta	you like …
		me interesa	it interests me
me apetece	I fancy	más	more
prefiero	I prefer	menos	less

You also met these words for the first time:

quedarse	to stay	divertida/o	amusing
en casa	at home	un joven	young man
un partido de fútbol	a football match	intelectual	intellectual
		en coche	by car
la discoteca	the disco	supongo	I suppose
bailar	to dance	las chicas	girls
el teatro	the theatre	por eso	for that reason
ponen	they are putting on	sacar el coche	to get the car out
la obra	the work, play		

Las frases clave

This is how to say *more* and *less*:

Es **más** interesante.   It's more interesting.
Es **menos** divertido.   It's less amusing.

and some examples of *most*:

la obra **más famosa**   the most famous play
Este restaurante es **el más caro** de la ciudad.   This restaurant is the most expensive in town.

To say *most* you use **el más/la más/los más/las más …**

Notice that *in* after a 'most' expression is **de**:

la bebida más deliciosa **del** mundo   the most delicious drink **in the** world

Más and **menos** are also used to compare one thing with another. **Que** is used for 'than':

Es más divertida **que** el teatro.   It's more amusing than the theatre.

Son menos caros **que** los otros.   They are less expensive than the others.

In Spanish there are some irregular comparatives. Here are two: **mejor** (better/best) and **peor**: (*worse/worst*).

La discoteca es **mejor** que el cine.	The discotheque is better than the cinema.
No, ¡es peor!	No, it is worse!
Es el **peor** bar de la ciudad.	It is the worst bar in town.

Más is also used to emphasise an adjective in an exclamation:

¡**Qué** chica **más** intelectual!	What an intellectual girl!
¡**Qué** obra **más** interesante!	What an interesting play!

You use **a** to say how far away something is:

Está **a** diez minutos.	It's ten minutes away.
El cine está **a** dos kilómetros.	The cinema is two kilometres away. (literally: The cinema is at 2 kilometres.)

6 ¿Estás de acuerdo?

NVQ Level: 1 R1.2

You will find a very useful guide to 'What's On' in the **Cartelera** section of Spanish local newspapers, giving exhaustive lists of forthcoming local events of interest; films (**películas**), concert and theatre productions, and often television programmes as well.

Here is one page from a simple **Cartelera**. If you were on your summer holidays, would it tempt you to go out? Put a cross in the appropriate box for each statement, to say whether you agree or not. (See *Unidad 5*, page 80 if you need to revise the verb **gustar**.)

Pon una cruz en las casillas apropiadas.

CARTELERA

Televisión	Teatro Dramático Nacional	Música
TV1	Carmen; Ballet Teatro Español	Teatro Real: baile flamenco
20.05 **A las ocho con Rafaella** Nuevo programa magazine	Bodas de sangre; Federico García Lorca	Estadio de fútbol: Iggy Pop, héroes del punk
21.00 **Telediario**		**Toros**
21.30 **Fútbol**	**Multicines Ideal**	Plaza de toros: 5 tarde. Gran corrida; 6 toros de don Ramón Sánchez.
23.00 **Winchester** Western con John Ford	1. Parque Jurásico 2. Apollo 13 3. Estalingrado 4. El fugitivo	**Fútbol**
		El partido Robledo – Colmenar está cancelado.

	Sí	No
1 Me da igual si salgo o no.		
2 Voy a salir. Prefiero ir al cine.		
3 Voy a quedarme en el hotel. Me gusta más ver la tele.		
4 La música que prefiero es el flamenco.		
5 Me apetece ir al teatro.		
6 La música me interesa más que el fútbol.		
7 No me gusta ir a los toros.		
8 La ópera es mejor que la música pop.		
9 La televisión española es peor que la inglesa.		
10 La película que prefiero es Parque Jurásico.		
11 Me gusta mucho bailar.		
12 Es posible ver un partido de fútbol.		

7 **¡Tus opiniones, por favor!**

NVQ Level: 1 W1.1

Now you can give your own opinion. Rewrite some of those statements, so that they express your own preferences.

¡Escribe tus opiniones!
Por ejemplo: Voy a salir: Prefiero ir al teatro.

3 Accepting and declining informal suggestions or invitations

¡Lee, escucha y repite!

8 **Lo siento ...**

Merche: Oye, Luis, ¿te apetece ir al cine?
Luis: Lo siento; esta tarde tengo que trabajar.

Merche:	Es la película más popular del año.
Luis:	No me interesa ninguna película americana.
Merche:	No es americana; es española.
Luis:	Va a ser muy aburrido.
Merche:	¡Tú sí que eres aburrido …!
Luis:	Cuando hace buen tiempo, es mejor estar al aire libre, no en un cine.
Merche:	Pero hace mal tiempo: está lloviendo y hace frío.
Luis:	Mira, lo siento mucho … No tengo mi coche …
Merche:	Pero ¡el cine está a quinientos metros de aquí!
Luis:	¿Vamos a tomar unas copas después?
Merche:	Sí, si quieres. ¿Vas a ir?
Luis:	¿Cómo no? Voy a ir … después del trabajo.

Palabra por palabra

Oye	listen (informal)
una película	a film
un año	a year
aburrido	boring
un chico	a boy; a young man

Las frases clave

Here are some key phrases for accepting and declining invitations:

lo siento	I'm sorry
no puedo	I can't
tengo que trabajar/estudiar	I have to work/study
¡cómo no!	of course!

Here are some basic expressions about the weather (**el tiempo**):

hace buen tiempo	the weather is fine
hace mal tiempo	the weather is bad
hace calor	the weather is hot
hace frío	the weather is cold
hace viento	it's windy
hace sol	it's sunny
está lloviendo	it's raining

9 ▶ El tiempo

NVQ Level: 1 L1.1

Look at the weather map of Spain and listen to the weather reports on the recording. Repeat each one and find the symbol referred to.

Escucha y busca el símbolo.

10 ▶ Carta incompleta

NVQ Level: 1 R1.1

Choose the correct words from the list to complete the letter. There are more words in the list than you need.

Escribe las palabras.

Esta noche voy a .... con mis amigos. Vamos a ir al cine, a ver una .... que me interesa ....: "El tercer hombre"; es un clásico de los años 40. .... , vamos a ir a nuestro .... favorito: "El Paraíso", a tomar unas .... Mañana, mis amigos .... a ir a la playa, si hace buen .... Yo no puedo ir porque .... que trabajar; ¡tengo la peor suerte .... mundo!

del   salir   tengo   tienes   comer   televisión   bocadillos
después   voy   van   calor   tiempo   teatro   pero   película
mucho   tengo   bar   copas

11 *¿Aceptan o no?*

NVQ Level: 1 L1.1

Listen to Ángela, Rafael, Juliana, Manolo and Carmen receiving invitations.

a. Who accepts with pleasure?
b. Who refuses strongly?
c. Who can't make up their mind?
d. Who hesitates, then accepts?
e. Who hesitates, then refuses?

12 *¿Vas a aceptar?*

NVQ Level: 1 L1.2

This time it is you who receives six invitations. Listen to the recording twice and the second time write down **Sí, ¿cómo no?** to accept or **Lo siento; no me interesa** (*I'm sorry; I'm not interested*) to refuse.

La pronunciación

You will have noticed that the letter g, before *e* or *i*, has a guttural sound, like the ch in the Scottish word *loch*.

Mira, escucha y repite.

página   colegio   región   genial   recoger   general

G between two vowels has a 'swallowed' sound. Look at the words, listen, and repeat.

pagar   amigo   igual   contigo

In all other positions, g is hard, as in English *gate*.

gusta   inglés   tengo   grande   salgo

J always has the same sound as g has before e or i.

Mira, escucha y repite.

José   jueves   trabajar   tarjeta   reloj   mejor

La vida hispánica

Cuando no trabajamos

By and large Spanish and Latin-American people are gregarious and enjoy being out and about. They tend to socialise in restaurants and bars, with the home as the venue for family gatherings.

The traditional **paseo** (a leisurely stroll about the town or village) is an important custom enjoyed by grandparents, parents, teenagers and babies. People put on their best clothes and unwind, observing each other, and being observed. Particularly at weekends, whole families can be seen strolling about town before supper at ten o'clock. It is the ideal time for drinks and **tapas**.

In Spain, as elsewhere in Europe, the main leisure activity at home is watching television. Outside the home, young people participate more and more in sporting activities, as Spain's sporting reputation flourishes. In towns, discotheques, cinemas and theatres are popular, often not shutting until the early hours of the morning. Indeed, the people of Madrid are known as **gatos** (*cats*) because of their love of staying out very late.

El paseo.

Chiste

Querida, quiero bailar así para siempre.

¿No quieres mejorar nunca?

 Lectura

 **13 Planes dudosos**
Doubtful plans

Your Spanish host has plans for you, but some make you think twice! Put a cross beside those you definitely consider a no-no!

NVQ Level: 1 R1.2

Si hace buen tiempo vamos a ir a la playa. ☐

Si hace frío y viento vamos a ir a la montaña. ☐

Si no hace buen tiempo vamos a dar un paseo. ☐

Si hace mal tiempo vamos a ir a las tiendas. ☐

Si está lloviendo vamos a comer al aire libre. ☐

Si hace calor vamos a ir a la piscina. ☐

14 Una carta de Mercedes

NVQ Level: 2 R1.1

You have arranged to take a language course in Seville. A Spanish friend sends you details of your schedule and suggestions for other activities. Read her letter, then answer the questions in English.

Lee la carta y contesta las preguntas en inglés.

Sevilla, 17 de octubre de 1998

¡Hola!

¿Cómo estás? Aquí tienes más detalles del programa que vas a hacer aquí en Sevilla.

Las clases son de las nueve y media hasta la una y media. Vas a estudiar la lengua y la cultura. El resto del tiempo va a ser libre.

Te gustan los deportes; bueno, por las tardes podemos ir a la piscina, jugar al tenis o ir a ver un partido de fútbol. Te gusta estar al aire libre; si hace buen tiempo puedes ir a la montaña.

Por las noches podemos estar con mis amigos. Vamos a ver una película, y a tomar una copa en un bar. Podemos ir a la discoteca o a cenar en un restaurante. ¡Hay mucho que hacer aquí! Sevilla es una ciudad muy divertida y cosmopolita.

Los fines de semana, vamos a visitar Andalucía. Podemos ver las ciudades históricas de Granada y Córdoba, donde vamos a ver los monumentos famosos. Luego podemos ir a la Costa de la Luz para ver el Coto Doñana, el famoso parque natural. Si te interesa, podemos ir a Málaga.

Bueno, creo que eso es todo por el momento. Estoy segura de que lo vas a pasar muy bien.

Hasta luego,
Mercedes

---

1. Give details of the course you will follow.
2. What activities does Mercedes suggest for the afternoons?
3. What can you do in the evenings?
4. What weekend activities does Mercedes mention?

 **Escucha**

 15 Diálogo uno

NVQ Level: 1 L1.1

Listen to the conversation between María and Elena several times, and read the questions. Then play the conversation again, pausing after each speech, and write short answers in Spanish.

 Escucha y escribe las respuestas en español.
Por ejemplo: 1. Esta noche.

1. When does María want to go out?
2. What does Elena suggest?
3. What does María prefer?
4. What does Elena suggest next?
5. What is María's reaction?
6. Where do they decide to go in the end?
7. What will María do if there is a problem?

  16 Diálogo dos

NVQ Level: 1 L1.2

Listen to Pablo and Miguel's conversation several times, pausing it frequently. Summarise their conversation in English.

¡Escucha, y escribe un resumen en inglés.
Por ejemplo: *Miguel wants to see a football match …*

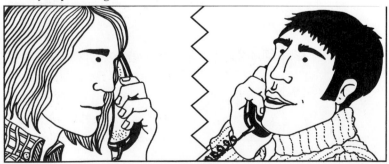

¡Estás en España!

 ¿Qué vamos a hacer?

NVQ Level: 1 S1.2

You are talking to a Spanish friend. Listen to the recording and look at your friend's part of the conversation. You will hear the prompts for your part of the conversation; say the Spanish before you hear it on tape.

Escucha, lee, y habla.

 **Una nota**

NVQ Level: 1 W1.2

Write a short letter to a Spanish friend in another town to say that you are going to visit him/her.

- Ask how he/she is and say you will arrive at ten in the morning.
- Say you would like to go to the shops, and to the park if the weather is good.
- Ask if your friend would like to go out in the evening.
- Ask the name of the best restaurant in the town.
- Say you are going to pay, and suggest going to the cinema afterwards.

¿Éxito?

Objetivo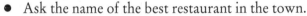

 Invitaciones

NVQ Level: 1 S1.1

See how many different invitations you can make to places you know the Spanish for. Use different opening gambits, for example *¿Quieres ...?, ¿Te gustaría ...?, ¿Te apetece ...?, ¿Si vamos a ...?.* If you can make 20, you're doing well!

Haz las invitaciones.

Por ejemplo: ¿Quieres ir al cine? ¿Te apetece ir a las tiendas? ¿Si vamos a la discoteca?

Objetivo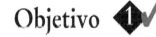

 Prefiero ...

NVQ Level: 1 W1.1

Choose your favourite activity and your least favourite activity from those mentioned in this unit. Make as many different sentences as you can comparing the two activities.

Por ejemplo: Prefiero ir a la discoteca; es mejor que el teatro. No me gusta nada el parque; es peor que la playa.

Objetivo  ✔

21 No puedo ...

NVQ Level: 1 S1.2

Practise saying you can't do one thing because you are going to do another.

For example: **No puedo ir a la discoteca porque voy a ir a las tiendas.**

I can't go to the disco because I'm going to go shopping.

See how many sentences you can make.

Habla.

¡Socorro!

◆ How do you rate your progress? If you need more practice on Objective 1, go back to Activity 1 on page 96 and translate the dialogue.

◆ For more practice on Objective 2, you could use a different technique for learning the 'phrases for preferences' and **Las frases clave** on page 100. For example, you could copy out the phrases, blank out some of the words with correction fluid, and, after a minute or two, try to write them in. Say the phrase in English as you do so. Then think of three things which you really would like to do (in this unit!) and say in Spanish what they are and why you prefer them.

◆ If you need to do more on Objective 3, revise the **frases clave** on page 103, then listen again to Activity 11. Which invitations would you really accept or decline? Say the Spanish for those activities, and add **Sí, ¿cómo no?** or **Lo siento, no puedo.** For example: ¿Ir al cine? Sí, ¿cómo no?

Unidades 4, 5, y 6

Repaso 2

1 Lugares y palabras   Places and words

Match these places with the things or people you would find there.

Empareja los lugares con las palabras.
Por ejemplo: la discoteca—la música

la discoteca	leche fresca
el bar	la sopa
la panadería	las tapas
el cine	las chuletas
el teatro	unos panecillos
el estadio	las naranjas
la carnicería	el matador
la plaza de toros	la película
el restaurante	el partido de fútbol
la frutería	la obra
la tienda de comestibles	la música

2 Depende del tiempo

NVQ Level: 1 S1.2

What you do depends on the weather! Use these pictures to say what the weather is like and where you are.

Por ejemplo: 1. Estoy en la playa, ¡y hace buen tiempo!

3.

4.

5.

◆ 3 ¿Quieres ir o no?

NVQ Level: 1 L1.1

To revise accepting and declining invitations, look at the pictures and listen to the recording. Do the people accept the invitations or not? Put a cross in the appropriate box.

Escucha.

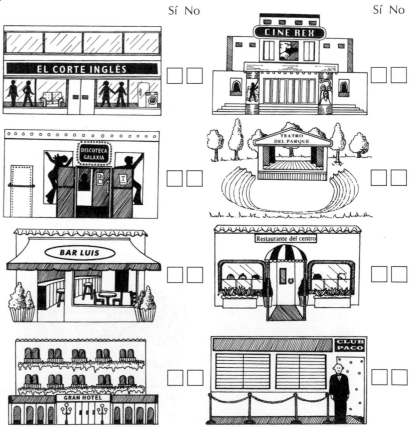

4 Los años / The years

Read this list of famous events and say the years in Spanish. Then listen to the recording, but say the year before you hear it.

Lee, escucha y habla.

Por ejemplo: 1066 – mil sesenta y seis.

La batalla de Hastings: 1066
La armada invencible: 1588
El gran incendio de Londres: 1666
La revolución francesa: 1789
La coronación de Isabel Segunda: 1953
La muerte de Franco: 1975

Then work out what the events are in English.

5 ¿Quieres salchichas?

NVQ Level: 1 S1.2

Look at these pictures and listen to the recording. Accept or refuse the item offered, according to the picture. Say the answers before you hear them.

Escucha y contesta.

Por ejemplo: 1. Quieres salchichas? No gracias, prefiero chuletas.

2. ¿Quieres té? Sí, gracias.

 **6** **Al contrario** Match these sentences with their opposites.

Empareja las frases opuestas.
Por ejemplo: Hace buen tiempo. Hace frío y está lloviendo.

Hace buen tiempo.	Aquellas tapas son baratas.
Vamos a ir al cine.	No conozco a nadie.
Tenemos chuletas y bistec.	Me gusta más el agua mineral sin gas.
No tengo ninguna idea.	No hay carne.
Me encanta ir a la discoteca.	Hace frío y está lloviendo.
Estas tapas son caras.	No me gusta la música moderna.
Prefiero agua mineral con gas.	Sé muchas cosas.
Tengo muchos amigos.	No vamos a ver una película.

 **7** **¡El tiempo vuela! Time flies!** To practise saying the time, look at these clocks, and say the time in Spanish *a quarter of an hour later* than the time shown.

Por ejemplo: Son las tres y cuarto.

a   b   c   d

e   f   g   h

 8 **La cafetería**

NVQ Level: 1R1.2

Do you remember names of things to eat and drink? Imagine you are in a **cafetería** in Spain with a friend. From the menu, choose items to eat and drink for yourself and something for your friend.

Por ejemplo: Un café con leche, un bocadillo de queso …

bocadillos:	queso
	jamón York
	jamón serrano
	atún

panecillos
cruasanes
tarta de fresa
tarta de manzana
donuts

| pasteles: | brazo de gitano |
| | relámpagos de chocolate |

bebidas:	café solo
	café con leche
	té
	agua mineral con gas
	agua mineral sin gas
	cerveza
	vino blanco
	vino tinto

helados:	fresa
	chocolate
	café

Chiste

¿Tiene algo alto y frío, lleno de alcohol?

EL BAR

Sí ¡mi marido!

7 *unidad siete*

La rutina diaria

Daily routine

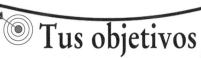

Tus objetivos

1 Describing your daily routine

2 Comparing your weekday routine with weekends and holidays

3 Talking about changing your routine

---

1 Describing your daily routine

 1 **La vida de estudiante** Student life

Lee, escucha y repite.

Javier:	¡Hola, Carmen! ¿Qué tal tu vida de estudiante?
Carmen:	Hombre, Javier, es fenomenal. Me lo paso muy bien.
Javier:	Vives en la residencia de estudiantes ¿no?
Carmen:	Sí, de momento sí. Me va muy bien.
Javier:	¿Cómo es un día típico de un estudiante?
Carmen:	Bueno, pues, depende ... pero los lunes por ejemplo, me levanto a las siete y media; me ducho; me arreglo y desayuno en la residencia. Salgo de la casa a las ocho y media y voy a pie a la facultad. Si está lloviendo voy en autobús. La primera clase es a las nueve, tengo un descanso a las once, y termino a la una.
Javier:	Y ¿dónde comes?
Carmen:	Si tengo hambre, como en la cafetería de la universidad. Los sábados y domingos como en la residencia.
Javier:	Y ¿por la tarde?
Carmen:	Estudio, claro. Tengo mucho trabajo. Estudio en mi habitación hasta las ocho, y luego salgo con mis amigas de la residencia. Se llaman Ana y Elena. Son muy simpáticas.
Javier:	¿Te acuestas temprano?

Carmen:	Depende si tengo sueño o no. Por lo general me acuesto a los doce o doce y media.
Javier:	Pues, chica, me alegro de verte por aquí en el pueblo. ¿Te quedas para mucho tiempo?
Carmen:	Sí, sí. Oye, Javier, tengo sed. ¿Tomamos algo en el bar? Quiero beber algo.
Javier:	Sí, claro que sí. ¿Quieres ir al bar Joselito?
Carmen:	Vale, Javier, vamos.

Palabra por palabra

el/la estudiante	student	la facultad	the university
fenomenal	great, terrific	un descanso	a break
me lo paso muy bien	it suits me fine; I'm having a great time	si tengo hambre	if I'm hungry
		los sábados y domingos	on Saturdays and Sundays
la residencia de estudiantes	hall of residence	se llaman	they are called
depende	it depends	¿te acuestas temprano?	do you go to bed early?
me levanto	I get up		
me ducho	I take a shower	si tengo sueño	if I'm sleepy
me arreglo	I get myself ready	por lo general	generally
		me alegro	I'm delighted
desayuno	I have breakfast	tengo sed	I'm thirsty

Las frases clave

Me acuesto a las doce.	I go to bed at 12 o'clock.
Me levanto a las siete y media.	I get up at half past seven.
Me ducho en el cuarto de baño.	I shower in the bathroom.
¿Te quedas para mucho tiempo?	Are you staying for a long time?
Se llaman Ana y Elena.	They are called Ana and Elena.

These are all *reflexive verbs*. In a reflexive verb, the action refers back to the person doing it, that is **Yo me levanto** literally means *I get myself up*.

This is the full pattern of the reflexive verb *levantarse*:

Levantarse	to get up
yo **me** levanto	I get up
tú **te** levantas	you get up
él, ella **se** levanta	he, she gets up
Vd **se** levanta	you get up
nosotros **nos** levantamos	we get up
vosotros **os** levantáis	you get up
ellos, ellas **se** levantan	they get up
Vds **se** levantan	you get up

NB: Note that the reflexive pronoun (**me**, **te**, etc.) is added on to the end of the infinitive, but generally it precedes the verb. (See also *Unidad 11*, page 167.)

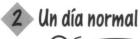 **2 Un día normal**

¡**Ahora escucha! Empareja los dibujos y las frases. ¡Cuidado! Sobra una frase.** Match the drawings with the phrases. Be careful! There is one extra sentence on the recording.

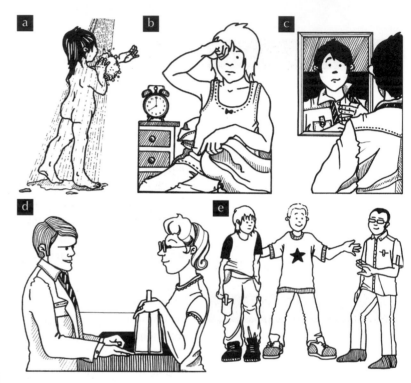

 3 Completa las frases

To practise reflexive verbs, complete the sentences below by choosing the most appropriate infinitive verb from the list, and writing the correct part.

Completa las frases.
Por ejemplo: 1. Miguel se levanta temprano.

1. Miguel .... temprano.
2. Ellos .... Miguel y Antonio.
3. ¿Para cuántas noches .... Vds?
4. Antes de arreglarme, ...
5. Hola, ¿cómo ....?
6. Las chicas .... en el dormitorio.

| Infinitivos: levantarse   llamarse   quedarse   ducharse   arreglarse |

4 **Los días de la semana**

Listen to the days of the week which are in a jumbled order and find them in the list. Repeat them and say them in English.

Escucha. Repite y di los días de la semana en inglés.

Los días de la semana	The days of the week
lunes	Monday
martes	Tuesday
miércoles	Wednesday
jueves	Thursday
viernes	Friday
sábado	Saturday
domingo	Sunday

2 Comparing your weekday routine with weekends and holidays

5 **Las comparaciones son odiosas**

Lee el diálogo, escucha y repite.

Paco: Hola, Miguel ¿Qué tal?

Miguel: Muy bien, Paco. Aquí me tienes de vacaciones hasta el 25 de julio.

Paco: Uy, ¡qué bien! Una semana sin trabajo. ¿Cómo pasas los días?

Miguel: De maravilla. En un día de trabajo me levanto a las siete. Los fines de semana, y cuando estoy de vacaciones, suelo levantarme a las diez o diez y media.

Paco: ¡Qué envidia!

Miguel: Sí, cuando trabajo desayuno en un bar a las diez pero ahora desayuno tranquilamente en casa y leo el periódico antes de ducharme y vestirme.

Paco: ¡Qué lujo!

Miguel: Tú me conoces, ¿no? Suelo trabajar desde las ocho y media hasta las dos con mucha presión, pero ahora salgo de mi casa a mediodía para dar un paseo, tomar un aperitivo … En fin, me lo paso muy bien. Este cambio es muy agradable.

Paco: ¡Qué guay! Vives como un rey.

Miguel: No, hombre, mucho mejor – ¡sin ninguna responsabilidad!

Paco: Sí, tienes razón. Bueno, Miguel, me voy porque tengo que volver al trabajo. Tengo prisa. ¡Hasta luego!

Miguel: Hasta luego, Paco. Oye, ¿salimos a la discoteca esta noche?

Paco: No, hombre. Estoy muy cansado. Los sábados tengo más tiempo.

Miguel: Vale, hasta el sábado entonces.

Palabra por palabra

de vacaciones	on holiday	tomar un	have a drink
de maravilla	wonderfully	aperitivo	before lunch
los fines de	the weekends	agradable	pleasant
semena		¡qué guay!	cool!
¡qué envidia!	you make me	el rey	king
	jealous!		
tranquilamente	quietly;	la responsabilidad	responsibility
	peacefully	tienes razón	you're right
leo el	I read the	me voy	I'm off; I'm
periódico	newspaper		going
antes de	before	tengo que	I have to
vestirme	to get dressed	volver	return
¡Qué lujo!	What luxury!	tengo prisa	I'm in a hurry
suelo trabajar	I usually work	cansado	tired
mucha presión	a lot of pressure		

Las frases clave

Me voy, **tengo prisa**.	I'm off, I'm in a hurry.
Si **tengo hambre** como inmediatamente.	If I'm hungry I eat immediately.
Si **tengo mucho sueño** me acuesto temprano.	If I'm very sleepy I go to bed early.
Tengo sed.	I'm thirsty.

These are expressions that use **tener**. The verb **tener** usually means *to have*, but in these expressions it is the equivalent of the English *to be*.

tener prisa	to be in a hurry
tener frío	to be (feel) cold
tener calor	to be (feel) hot
tener hambre	to be hungry
tener sed	to be thirsty
tener sueño	to be sleepy
tener razón	to be right

Remember you also use the verb **tener** to express how old you are:

¿Cuántos años **tienes**, Miguel?   How old are you, Miguel?
Tengo veintidós años.   I'm twenty two.

6 **¿Qué tienes?**
What's the matter with you?

Choose the appropriate caption for these pictures.

Elige la frase apropiada para cada dibujo.

1. ¡Uf! Tengo sed.
2. Tengo sueño. Me voy a la cama.
3. Hasta mañana Isabel; tengo prisa.
4. ¡Qué delicioso! Tengo hambre.
5. ¡Por fin! – ¡Qué calor tengo!
6. ¡Qué frío tengo! No me gusta el invierno.

7 **¿Cuántos años tienes?**
How old are you?

Use the correct part of **tener** to talk about people's ages. (See page 264 if necessary).

Completa las frases.
Por ejemplo: 1. Juan tiene 29 años.

1. Juan .... 29 años.
2. Yo .... 16 años.
3. María y Elena .... 15 años.
4. Josefa y yo .... 23 años.
5. ¿Cuántos años .... vosotros?
6. Vd .... 24 años ¿verdad?

Las frases clave

Here are some other irregular verbs that have a **g** in the first person.

Poner (to put)   Venir (to come)   Salir (to go out/leave)
yo pon**go**   yo ven**go**   yo sal**go**

Poner means *to put* or *place*, but when it is reflexive it changes its meaning to *to put on* (clothing) and sometimes it means *to become*.

Cuando tengo frío **me pongo** un jersey.	When I'm cold I put on a jumper.
Me pongo triste cuando escucho esa música.	I become sad when I hear that music.

Notice also these parts of venir: **tú vienes** *you come*, **él viene** *he comes*.

 **8 ¡En orden!**

In order!

Arrange these sentences in the order of your daily routine.

Escribe estas frases en el orden correcto.
Por ejemplo: 1 = c

a. A mediodía tengo hambre.
b. Me pongo mi ropa de cada día.
c. Me levanto a las ocho.
d. Me acuesto a las once.
e. Salgo de la casa a las nueve de la mañana.
f. Vengo a la universidad en autobús.
g. Estudio por la tarde.

3 Talking about changing your routine

9 ¿Qué te pasa?
What's up?

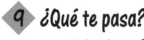

Lee y escucha la conversación.

Ángeles: Estoy harta, Joaquín. Esta vida de ama de casa no me va.

Joaquín: Pero, ¿qué te pasa, mujer?

Ángeles: Hay que cambiar.

Joaquín: No te comprendo. ¿Qué quieres?

Ángeles: Quiero salir a trabajar y a ganar dinero.

Joaquín: Pero, Ángeles, ya trabajas con la casa, la compra, los niños …

Ángeles: Sí, sí, y te digo que no puedo más. Tengo que cambiar.

Joaquín: Vale, vale pero ¿cómo?

Ángeles: Quiero levantarme, arreglarme, ponerme ropa elegante e ir al trabajo como otras mujeres. No quiero pasar los días como ahora. Todos los días son iguales: tengo que limpiar, comprar, lavar la ropa, planchar la ropa y me pongo nerviosa.

Joaquín: Pero, Ángeles, si tú sales a trabajar ¿quién se va a ocupar de la casa?

Ángeles: Pagamos a una asistenta.

Joaquín: ¿Y los niños, Ángeles?

Ángeles: Los tres están en el colegio de lunes a viernes. Tu madre puede recogerlos por la tarde.

Joaquín: Pero, Ángeles, …

Palabra por palabra

estoy harta	I'm fed up	tengo que cambiar	I must change
la vida	life		
el ama de casa (f)	housewife	como ahora	like now
no me va	doesn't suit me	limpiar	to clean
		lavar	wash
hay que	things must	la ropa	clothes
cambiar	change	planchar	to iron
ganar	to earn	me pongo nerviosa	I get upset
la compra	shopping		
los niños	children	ocuparse de	to look after
te digo	I'm telling you	la asistenta	cleaner
no puedo más	I can't stand any more		

Las frases clave

Mañana **hay que** ir al colegio.	Tomorrow you have to (one must) go to school.
Para ser médico **hay que** estudiar mucho	To become a doctor you have to study a great deal.
Tengo que salir a las nueve.	I have to go out at nine.

Hay que *it is necessary to* and **tener que** *to have to* are very useful when talking about obligations. They are followed by the infinitive of the verb:

Hay que limpiar la casa.	You have to (one must) clean the house.
Los martes **tenemos que ir** a clase de baile.	On Tuesdays we have to go to dance class.

10 **Obligaciones**
Tasks

Empareja las frases con los dibujos. ¡Cuidado! Sobra una frase.
Match the phrases with the drawings. Be careful! There is one extra sentence on the recording.

1. Tengo que comprar pan hoy.

2. Mamá dice que tenemos que estudiar mucho.
3. Hay que limpiar la casa.
4. ¡Qué aburrido! ¡Tengo que planchar!
5. ¡Las ocho ya! Tengo que salir.
6. Hay que ir a la pescadería.
7. Tengo que ducharme en seguida.

The verb **soler** *to be in the habit of* is irregular. It is always followed by the infinitive and often translates into English as *I usually …, you usually …*:

Por la mañana **suelo** beber café.	In the morning I usually drink coffee.
¿A qué hora **sueles** levantarte?	What time do you usually get up?

11 ¿Qué sueles hacer? What do you usually do?

Make sentences beginning with **suelo**, by choosing phrases from **A, B** and **C**.

Escribe las frases.
Por ejemplo: 1. Suelo dar un paseo en el parque. *I am in the habit of going (I usually go) for a walk in the park.*

	A	B	C
1.	Suelo	dar un paseo	en el cuarto de baño
2.	Suelo	arreglarme	a las ocho
3.	Suelo	levantarme	en el parque
4.	Suelo	ir en coche	antes de comer
5.	Suelo	tomar un aperitivo	en mi dormitorio
6.	Suelo	ducharme	a la universidad

La pronunciación

H is silent in Spanish.

Escucha y repite.

hablo; **h**ombre; a**h**ora; ve**h**ículo; a**h**í

The two letters **ch** were, until very recently, considered as one single letter with its own separate section in the dictionary after all other words beginning with **c**. The Spanish Academy has now decided to include it with the rest of the **c**'s.

Escucha las palabras y repite.

chico; co**ch**e; me du**ch**o; a las o**ch**o; escu**ch**a

La vida hispánica

Las fiestas

¡**Un día es un día!** is a widely used **refrán** (proverb), which literally means *a day is a day* or *let's make the most of the occasion*. The people of Spain and Latin America certainly know how to do that! From Pamplona to Peru, from Madrid to Mexico, when it is fiesta time the time-honoured traditions reign supreme. Everyone lets their hair down and the whole community celebrates. Historically, the majority of fiestas are rooted in Catholic celebration which, in turn, may well be superimposed over an older, pagan tradition.

Whatever the occasion, hispanic people the world over look forward to their **fiestas** and the opportunity to take time off work and socialise in the street and bars.

Hacer puente   Making bridges

If a national holiday (for example, **el día de San José**, 19 March) falls on a Thursday, then Spaniards see little point in returning to work on the Friday before the weekend, so they 'make a bridge' to make the most of the festivities. They may even feel obliged to take unofficial leave on the following Monday,

El día de los difuntos en Méjico   The Day of the Dead in Mexico

La fiesta de San Fermín en Pamplona, España

known as **el lunes de resaca** or **hangover Monday**.

 **Lectura**

 **Preguntas y respuestas**

NVQ Level: 1 R1.1

**Empareja las preguntas con las respuestas.
Por ejemplo: 1a.**

1. ¿A qué hora te levantas?
2. ¿Cuándo terminas las clases?
3. ¿Te duchas por la mañana o por la tarde?

4. ¿Dónde comes?
5. ¿Te arreglas en el cuarto de baño?
6. ¿Sales a las ocho los lunes?

a. Me levanto a las ocho.
b. No, salgo a las diez los lunes.
c. Me ducho por la mañana.
d. Me arreglo en mi habitación.
e. Termino mis clases a las diez.
f. Como en casa.

 Lectura

 El día de trabajo en España

NVQ Level: 2 R1.1

En España la gran mayoría de las oficinas, bancos y almacenes abren a las nueve. Los empleados normalmente trabajan de las nueve a la una y media, con un descanso para tomar café. Normalmente los empleados van a casa para comer. La mayoría de los españoles comen en casa a mediodía, con la excepción de algunas personas que trabajan en las grandes ciudades y viven lejos del trabajo. Van otra vez al trabajo a las cuatro y terminan a las ocho u ocho y media. En casa por la noche, los españoles cenan muy tarde – a las diez.

Escribe verdadero o falso.

1. Spaniards start work at half past eight.
2. They have a coffee break.
3. People have lunch at work.
4. People working in cities sometimes go home for lunch.
5. Work restarts at 5pm.
6. They have dinner at midnight.

 Escucha

 La Fiesta de San José

NVQ Level: 1 L1.1

Listen to Juan and María exchanging ideas on how they spend 19 March (**19 de marzo**), **la fiesta de San José** – a national holiday.

Escucha y contesta las preguntas.

1. Where exactly is María going to spend the fiesta?
2. How long will she be away?
3. What time will the family start out?
4. Why?
5. What plans does Juan have?

15 **La rutina**

NVQ Level: 2 L1.1

Escucha la rutina de los lunes de María y contesta las preguntas en inglés:

1. At what time does María get up on Monday?
2. What does she drink for breakfast?
3. At what time does she leave home?
4. What happens at nine o'clock?
5. Where can you find her at ten?
6. What time do classes finish?
7. Describe her family's mid-day meal.
8. Name two possible activities for eight o'clock in the evening.
9. Why doesn't María watch TV on Monday night?
10. When does she go to bed?

16 **Una entrevista**

NVQ Level: 1 S1.2

Contesta las preguntas según el ejemplo.
Por ejemplo: 1. Me levanto a las siete y media.

1. ¿A qué hora te levantas? (7.30)
2. ¿Qué desayunas? (café con leche y tostadas)
3. ¿A qué hora sales? (8.30)
4. ¿Comes en casa o en un restaurante? (en casa)
5. ¿A qué hora sueles cenar? (9.30)
6. ¿A qué hora te acuestas? (11.30)

¡Estás en España!

 17 **Tu rutina ideal**

NVQ Level: 1 W1.1

Estás en España, en un hotel de lujo que tiene todas las facilidades: piscina, sauna, campo de golf, etc. ¿Cuál es tu rutina? Mira tu horario e imagina lo que haces.

Por ejemplo: 10.00 Me levanto – ¡muy tarde!

10.00	
11.30	
12.00	
14.00	
15.30	
17.00	
21.00	
22.00	
24.00	

Escribe

 18 Una carta

NVQ Level: 2 W1.3

Escribe una carta breve en español a una amiga. Describe tu rutina diaria. Usa estos verbos:

me levanto	me ducho	desayuno	salgo	leo	ver	voy
como	me acuesto					

 **Por ejemplo:**
Querida Carmen: ¿Qué tal? Hoy es domingo. Normalmente ...

 ¿Éxito?

19 ¿Sabes describir tu rutina?
Do you know how to talk about your routine?

NVQ Level: 1 S1.2

Objetivos

Talk about your daily routine in Spanish, first on a weekday, then at the weekend. Try to include as much detail as possible.

Habla.

Objetivo ✓

20 Cambio de rutina
Change of routine

NVQ Level: 1 S1.2

Say what you would like to do, as opposed to what you do now. Try to make six sentences.

Habla.

Por ejemplo: Quiero levantarme a las nueve, no a las ocho.

¡Socorro!

◆ For further practice in using the days of the week and the verb **soler**, write about what you usually do on the various days. For example: Los lunes suelo ir a la universidad ...

8 unidad ocho

¡Buen viaje!
Have a good journey!

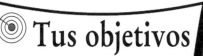

Tus objetivos

1 Talking about travel plans

2 Enquiring about cost, dates and times; buying the tickets

1 Talking about travel plans

1 Hablando de vacaciones   Talking about holidays

Lee, escucha y repite el diálogo.

Rafael:	¿Qué plan tienes para las vacaciones?
Dolores:	Pues … quiero ir a París y visitar a la familia de Pierre.
Rafael:	¡Qué casualidad! Teresa y yo también queremos ir a París. Queremos ver la exposición tecnológica en 'Futuroscope'.
Dolores:	¿Cuándo?
Rafael:	Durante el mes de junio o julio.
Teresa:	¡No, no, Rafael! Tenemos que ir en junio, porque yo voy de camping en julio.
Rafael:	Y tú Dolores, ¿cuándo vas a París?
Dolores:	Voy en julio.
Rafael:	Y ¿cuándo vuelves?
Dolores:	Vuelvo en agosto.
Teresa:	¿Vas en tren o en autocar?
Dolores:	Prefiero el tren, porque es más rápido.
Teresa:	¡Huy no! … ¡nosotros preferimos el autocar!

Palabra por palabra

visitar	visit	julio	July
la familia	the family	porque	because
la casualidad	coincidence	agosto	August
la exposición	the exhibition	el tren	the train

tecnológica	technological	el autocar	the coach
durante	during	rápido	fast
el mes	the month	¡Huy no!	Oh no!
junio	June		

Las frases clave

Quiero visitar a Pierre y a su familia en París.	I want to visit Pierre and his family in Paris.
Queremos ver la exposición de arte.	We want to see the art exhibition.
Prefiero ir en tren.	I prefer to go by train.
Nosotros preferimos ir en autocar.	We prefer to go by coach.
¿Cuándo vuelves?	When do you return?
Vuelvo en agosto.	I return in August.

This dialogue contains several 'radical changing' verbs.

The first is **querer** and you have already met the first person of this verb **quiero** in Units 2 and 5. Radical changing verbs have normal endings but change a vowel in the stem, according to a regular pattern. As you can see, **querer** changes **e** to **ie** in the first three persons singular, and the third person plural. (This is why in the Glossary you will find it listed as **querer (ie)**, to want.)

This is how the whole verb is made up:

Qu**ie**ro, qu**ie**res, qu**ie**re, queremos, queréis, qu**ie**ren.

Here are two other types of radical changing verbs:

Preferir (ie): to prefer:
Pref**ie**ro, pref**ie**res, pref**ie**re, preferimos, preferís, pref**ie**ren.

Volver (ue): to return:
V**ue**lvo, v**ue**lves, v**ue**lve, volvemos, volvéis, v**ue**lven.

2 El verbo querer

Look at the pictures and select the most appropriate caption.

Empareja los dibujos con las frases.

Por ejemplo: 1c

a. ¿Quieres jugar al golf?

b. ¡Queremos ver la televisión!

c. Quiero ir a París.

d. Quieren comer en el restaurante.

e. No quiero ir de camping.

f. ¿Queréis visitar la exposición?

---

3 El verbo preferir

Write sentences to express your preference, using the stars as a guide.

¿Qué prefieres?

Por ejemplo:

Viajar en tren* Viajar en autocar** = Prefiero viajar en tren.**

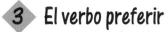

1. Levantarse a las seis de la mañana* Levantarse a las diez de la mañana***
2. Comer en casa** Comer en el restaurante***
3. Jugar al golf*** Jugar al tenis*
4. Salir con mis amigos***** Salir solo**

Do this activity again, changing *I prefer* to *he/she prefers*, *we prefer* and *they prefer*.

Por ejemplo: Prefiere viajar en tren.

Las estaciones del año	The seasons of the year		
la primavera	spring	el verano	summer
el otoño	autumn	el invierno	winter

¿Qué estación del año prefieres? ¿Por qué?

4 Más planes de vacaciones
More holiday plans

Lee, escucha y repite.

Rafael: ¡Hola! ¿Qué tal? ¿Queréis tomar una cerveza?
Clara: ¡Sí, claro!
Rafael: Bueno, ¡un momento! ¿Cuántas cervezas?
Teresa: Rafael, pide siete cervezas.
Rafael: ¿Qué dices?
Teresa: ¡Pide siete cervezas!
Rafael: ¡Vale! Pido siete cervezas. ¡Oye, Manuel!
Waiter: Sí, dime.
Rafael: Trae siete cervezas, por favor.
Clara: ¡Gracias Rafael, eres muy generoso!
Rafael: Sí, sí ... Mira, Teresa y yo vamos a París en junio, y Dolores también pero ella va en julio. Y tú Clara, ¿qué plan tienes para las vacaciones?
Clara: Pues Enrique y yo queremos ir a Cuba.
Rafael: ¿De verdad?
Enrique: ¿Qué?
Rafael: ¿Vais a Cuba?
Enrique: ¡Sí, excelente! ¿no?
Rafael: ¿Es muy caro el viaje?
Clara: Sí, es bastante caro.
Rafael: ¿Tenéis los billetes, ya?
Clara: No, mañana voy a la agencia de viajes.
Rafael: Teresa, paga. ¡Yo no tengo dinero!
Teresa: ¡Vale!

Palabra por palabra

pide	ask for	bastante	quite
pido	I'll ask for	los billetes	the tickets
generoso	generous	ya	already
¡excelente!	excellent!	la agencia de viajes	travel agents
caro	expensive		

Las frases clave

Mira estos verbos:

Rafael, **pide** siete cervezas. — Rafael, ask for seven beers.
¿Qué **dices**? — What did you say?
¡Vale! **Pido** siete cervezas. — OK! I'll ask for seven beers.

These are two further radical-changing verbs:

Pedir (i): Pido, pides, pide, pedimos, pedís, piden.
Decir (i): Digo, dices, dice, decimos, decís, dicen.

You have also seen and heard the use of commands in the informal (friendly) form.

¡Rafael, **pide** siete cervezas!	Rafael, ask for seven beers!
Trae siete cervezas, por favor.	Bring seven beers, please.
¡Teresa, **paga**, no tengo dinero!	Teresa, pay, I have no money!

You are already familiar with many commands in this form; you see them after every excercise! **Lee, escucha, habla, di, elige, repite, escribe**, etc. and you have seen **¡Mira!** in several dialogues.

The imperative or 'command' in the **tú** form is formed by taking the **s** off the **tú** form of the present tense.

Por ejemplo:	verb	command
	tú trabajas	**trabaja**
	tú comes	**come**
	tú escribes	**escribe**

Except for the following verbs, which you should memorise:

decir – **di**	ir – **ve**
ser – **sé**	hacer – **haz**
poner – **pon**	tener – **ten**
venir – **ven**	

5 ▸ **¡Lee la página!**   Look at the pictures and select the correct verb.

Empareja los verbos con los dibujos.

Por ejemplo: 1b

1. .... la página 17.
2. .... siete cervezas.
3. ¡.... bueno!
4. .... hola a Manolo.
5. ¡........ tres cervezas!
6. .... todo recto.
7. .... tu nombre.
8. ¡.....que vista!

a. ser **b.** leer **c.** ir **d.** traer **e.** escribir **f.** decir **g.** mirar
h. pedir

6 **Escribe el imperativo de los verbos**

Now write in each bubble the correct form of the command.

Por ejemplo: 1. Lee.

For more practice, look at the recipe on page 92 and change the formal commands to informal ones.

② Enquiring about cost, dates and times; buying the tickets

7 **En la estación de tren**

At the railway station

Dolores está hablando con el joven empleado.

Lee, escucha y repite.

Empleado:	¡Hola! Buenos días.
Dolores:	¡Hola! Quiero un billete para París.
Empleado:	¿Qué fecha quieres viajar?
Dolores:	Quiero salir el 14 de julio y volver el 2 de agosto.
Empleado:	Un billete de ida y vuelta son 25.000 pesetas. El precio incluye litera.
Dolores:	¿Necesito pasaporte?
Empleado:	No, sólo carnet de identidad.
Dolores:	¿Tengo que reservar plaza?
Empleado:	Sí, claro, compra el billete al menos cinco días antes de viajar.
Dolores:	Pues … un billete de ida y vuelta.
Empleado:	Muy bien, son 25.000 pesetas.
Dolores:	¿A qué hora sale el tren?
Empleado:	A las 21:00 y llega a París a las 08:15 del siguiente día.
Dolores:	Gracias, adiós.
Empleado:	¡Adiós, buen viaje!

Palabra por palabra

fecha	date	¿necesito?	do I need?
viajar	to travel	plaza	seat
ida y vuelta	return (ticket)	al menos	at least
incluye	includes	siguiente	next

Las frases clave

¿Qué fecha quieres viajar?	What date do you want to travel?
Quiero salir **el 14 de julio** y volver **el 2 de agosto**.	I want to leave on the 14th of July and come back on the 2nd August.
¿A qué hora sale el tren?	What time does the train leave?

Notice that the months do not have a capital letter.

8 **Escucha y repite los meses**

First look at the year planner and read the months several times. Then listen to the recording and repeat each month after the speaker by pausing the tape. Find the month on the year planner as you do so. Do this as many times as you feel necessary.

ENERO	FEBRERO	MARZO	ABRIL	MAYO	JUNIO
1 Año Nuevo 6 Día de Reyes					
	14 San Valentín			1 Día del Trabajo	

JULIO	AGOSTO	SEPTIEMBRE	OCTUBRE	NOVIEMBRE	DICIEMBRE
				1 Todos los Santos	
7 San Fermín			12 Día de la Hispanidad		24 Nochebuena 25 Navidad 31 Nochevieja

9 **Escribe los meses**

Unscramble the spelling for each month and rewrite them in the correct order.

1. barli
2. uloji
3. recotub
4. neore
5. goatso
6. birtemespe
7. vonimrebe
8. juino
9. ramoz
10. dicrebemi
11. myao
12. refebro

10 **Fechas importantes en España**

Look at the year planner again and listen to the questions on the recording. Pause after each question and answer it, then listen to the answer given by the speaker.

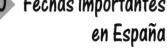

Esucha y contesta

Por ejemplo: 1. ¿Cuál es la fecha del día de la Hispanidad? Es el 12 de octubre.

11 **En la estación de autocar**
At the coach station

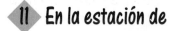

Lee, escucha y repite.

Rafael: ¡Hola! ¿Cuánto cuesta un billete de ida y vuelta a París?
Empleada: ¿A dónde exactamente?
Rafael: Al centro ciudad y 'Futuroscope'.
Empleada: Hay una excursión excelente de seis días, el precio, 62.000 pesetas incluye el viaje y alojamiento a media pensión.

			Rafael:	¿Hay autocar todos los días?

Rafael: ¿Hay autocar todos los días?
Empleada: No, hay dos salidas por semana, el lunes y el domingo a las 6:45.
Rafael: ¡Vale, gracias! Dos billetes de ida y vuelta para la excursión de París y Futuroscope.
Empleada: ¿Qué día quieres salir, el lunes o el domingo?
Rafael: El lunes de la semana próxima, el 18 de junio.
Empleada: ¡Vale! son 124.000 pesetas.
Rafael: ¿Aceptas tarjetas de crédito?
Empleada: Sí, claro.
Rafael: Toma.
Empleada: Firma aquí.
Empleada: Toma, tu tarjeta, el recibo y dos billetes.
Rafael: Gracias, adiós.

Palabra por palabra

la excursión	excursion	toma	here you are
las salidas	departures	el recibo	receipt
la semana próxima	next week		

Las frases clave

Hay dos salidas por semana.	There are two departures per week.
El martes y el viernes a las **6:45**. Con llegada a París el miércoles a las **16:30**.	On Tuesday and Friday at 6:45. Arriving at Paris on Wednesday at 16:30.

This dialogue introduces the 24-hour clock. As long as you remember the numbers, it's simple!

To use the 24-hour clock, apply the principle you learned in *Unidad 5* for *it's* or *at* and say the numbers as you see them. (See pages 84–85 if you are not sure.)

Por ejemplo: **Son las 08:15. (cero ocho, quince)**

a las 14:50 (catorce, cincuenta)

 El horario de autocar

Look at the coach timetable and imagine you are telling a friend the times of departures from Paris to Amsterdam.

	■			Portbou	▲									10.15
	17.02			Cerbère										
■		■	■	Porte-Nord	■	18.59	■	19.17	20.14	■	20.53	■		
23.16		07.52	10.25											
04.32	08.06	10.10	10.49	13.18	Bruxelles	15.30	16.00	16.30	17.03	17.53	18.23	18.32	19.07	19.14
06.44	■	12.01	12.56	15.26	Rotterdam-Co	13.32	■	14.32	■	■	16.32	■	16.58	■
07.07		12.20	13.17	15.50	Den Haag	13.12		14.12				16.36		
08.05		13.08	14.02	16.34	Amsterdam	12.25		13.25			15.25	15.52		

Escribe y habla.

Por ejemplo:

1. **Hay un autocar a las veintitrés dieciséis.** *There is a coach at 23:16.*
2. ....
3. ....

Tell your friend at what time each coach arrives.

Por ejemplo:

1. **Llega a las cero ocho cero cinco.** *It arrives at 08:05.*
2. ....
3. ....

13 Información sobre el horario

Now listen to the recording and make a note of the times you hear.

Escucha y escribe.

14 En la agencia de viajes

Lee, escucha y repite el diálogo.

Dependiente:	Hola. ¿Necesitas información?
Clara:	Sí, ¿tienes información sobre viajes a Cuba?
Dependiente:	Mira, hay una oferta especial; vuelo, alojamiento para 15 días en un hotel de cuatro estrellas con pensión completa. Incluye la excursión 'circuito cubano' y también siete u ocho vales de descuento. El precio es 250.000 pesetas.
Clara:	¡Huy es muy caro! ¿tienes algo más barato?
Dependiente:	No, éste es el mejor precio, y son plazas limitadas.
Clara:	Pues … dos billetes para ese viaje a Cuba; en oferta con la compañía Soltour.
Dependiente:	Sí claro. ¿Para qué fechas, exactamente?
Clara:	Salida el 22 de julio y regreso el 14 de agosto.
Dependiente:	Vamos a ver si hay plazas para estas fechas.
Clara:	¡Espero que sí!
Dependiente:	Pues sí. ¿Quieres hacer la reserva ahora?
Clara:	Sí, sí. Dime los precios.
Dependiente:	250.000 pesetas por persona todo incluido.
Clara:	¡Vale! ¿aceptas cheques?
Dependiente:	Sí, claro, con tarjeta de banco. En total son 500.000 pesetas.
Clara:	Toma.

Dependiente:	¿Quieres fumador o no fumador?		
Clara:	No fumador.		
Dependiente:	Bien, es el vuelo AEA – 137, con salida de Madrid a las 10:45 y llegada en Cuba a las 15:00.		
Clara:	¿Hace escala?		
Dependiente:	Sí, en Azores. Bien, aquí tienes el recibo, y un folleto de información. Recoge los billetes a partir de las cuatro, mañana		
Clara:	Gracias, adiós.		

Palabra por palabra

especial	special	la compañía	company
vuelo	flight	si	if
el alojamiento	accommodation	espero que sí	I hope so
e	and	ahora	now
incluye	it includes	dime	tell me
circuito cubano	Cuban tour	todo incluido	all inclusive
u	or	el banco	bank
el vale	voucher	fumador	smoking
el descuento	discount	la llegada	arrival
más barato	cheaper	la escala	stop-over
mejor	best	el folleto	leaflet
limitadas	limited	a partir de	from

Las frases clave

You have seen some new words for *and* and *or*:

El precio es para el vuelo, el alojamiento **e** incluye la excursión. *The price is for the flight, the accommodation and includes the excursion.*

e is used in place of **y** when the next word begins with an **i**, to avoid repetition of the same sound.

Hay siete **u** ocho vales de descuento. There are seven or eight discount vouchers.

Similarly **u** is used in place of **o** when the next word begins with **o**.

15  **¿E o Y?** You decide!

¡Decide!

El precio incluye el vuelo ...... el alojamiento ...... también varias excursiones. El precio es especial ...... limitado; ...... incluye vales de descuento ...... viaje sin limite en los autobuses.

16 ¿O o u? ¡Decide!

Mi amigo quiere visitar Roma en julio ...... en agosto. Tiene que escoger uno ...... otro mes pronto, para reservar plaza en el autocar ...... el tren. Para viajar con descuento tiene que reservar su plaza siete ...... ocho días antes

La vida hispánica

Los transportes

Spain's airline 'Iberia' offers international flights, with offices in most countries in the world. Domestic flights are catered for by its subsidiary 'Aviaco'. The geography of Spain makes flying a popular form of travel within the country as it is quick, reliable and reasonably priced.

The Spanish railway company RENFE (Red Nacional de los Ferrocarriles Españoles) has the lowest rail fares in Europe as well as many price discounts for Spaniards and visitors too. Apart from normal services, RENFE has introduced two new special trains aimed at the tourist market, the 'Expreso Al-Andalus' travels through southern Spain while the 'Transcantábrico' travels through northern Spain.

The shipping company Transmediterránea provides sea links between the Peninsula and the Balearic Islands, the Canary Islands and North Africa.

Coach travel in Spain is probably the most popular and affordable means of transport. Many companies operate in this field.

For travel within cities, the bus, the underground (**el Metro**) or taxi are the best way of getting around; distances in cities tend to be short and fares cheap so you can avoid the costly parking rates and traffic congestion.

Flying is the most popular way of getting from place to place in South America because of the vast distances and geographical barriers. Internal flights are plentiful and very reasonably priced, however, it is considerably more expensive than travelling by 'bus' (the term used for coach in South America). Bus transport is well developed and widely used, although road conditions and bus quality vary greatly from one country to another. Most major cities and towns have a 'terminal de autobuses' (central bus station).

Travelling by train is usually cheaper than *bus* and covers spectacular routes, but it is slower.

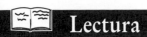 **Lectura**

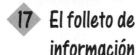 **El folleto de información** Lee el folleto de información práctica, e itinerario para el viaje a Cuba, y contesta las preguntas en inglés.

NVQ Level: 2 R1.1

Información práctica

● Es necesario tener pasaporte en regla y visado
● La moneda de Cuba es el peso cubano pero es mejor utilizar el dólar americano en hoteles, restaurantes, tiendas, etc. No utilice "Travellers' Cheques" y "American Express".
● El clima es subtropical con temperatura entre 26 y 30 grados.
● Recomendamos ropa ligera y fresca, gafas de sol y crema de protección.
● Beber agua de botella.
● La comida es, en general, cerdo, pollo, mariscos y langosta.
● La electricidad es de 110 voltios.
● La differencia horaria es de -5 horas.

Itinerario

Día 1
Salida de España y llegada al aeropuerto de Varadero. Trasbordo en autocar a La Habana

Día 2
Visita a la ciudad de La Habana

Día 3
Día libre en La Habana

Día 4
Trasbordo en autocar al aeropuerto de La Habana y vuelo a Santiago.

Día 5
Visista a la ciudad de Santiago de Cuba.

Día 6
Salida en autocar a Guardalavaca y excursión de la zona.

Día 7
Día libre en Guardalavaca

Día 8
Trasbordo en autocar al earopuerto de Guardalavaca; vuelo a La Habana

Día 9
Salida en autocar a Guama; la excursión de la zona incluye una visita al criadero de cocodrilos. El viaje continúa a Trinidad.

Dí10
Visita de la ciudad de Trinidad

Día 11
Salida en autocar, visita de la ciudad Cienfuegos en ruta y llegada a Varadero.

Día 12,13,14
Días libres

Día 15
Regreso a España

1. Besides a passport, what other document is necessary?
2. What is the Cuban currency?
3. What does the article say about the currency?
4. Why is light, cool clothing recommended?
5. How can you proctect your skin from the sun?
6. Should you drink tap water?
7. What can you expect to eat?
8. How is the voltage rated?
9. What is the time difference between Cuba and Spain?
10. How many whole days will you have in Havana?
11. How will you travel to Santiago de Cuba from Havana?
12. What type of animals will you see in Guamá?
13. How many more cities will you visit before returning home?
14. Which are they?

 **18** La conversación por teléfono

NVQ Level: 2 L1.1

Escucha la conversación entre Rafael y Teresa y escribe, en español, en la agenda el itinerario para el viaje a París.

¡Ya tenemos billetes!

JUNIO

Lunes	Jueves
Salida en autocar a las 6:45	
Martes	**Viernes**
Miércoles	**Sábado**
	Domingo

19 **La publicidad por la radio**

NVQ Level: 2 L1.2

Escucha varias veces la información sobre Sevilla y escribe un resumen en inglés.
Por ejemplo: *Seville is in the South of Spain and is the capital of Andalusia …*

Los puntos cardinales The points of the compass

el norte

el oeste ◄————► el este

el sur

La pronunciación

Lee, escucha y repite

Ll: In Castillian Spanish and much of South America 'll' is pronounced rather like 'y' in yellow, except in Argentina where it is pronounced as the 'z' in 'azure'.

Llave **Ll**ega meji**ll**ones bi**ll**ete e**ll**a

ñ: ñ is found after 'n' in the dictionary and is pronounced as *ny* in *canyon*:

Compa**ñ**ía espa**ñ**ol ma**ñ**ana champi**ñ**on co**ñ**ac

NB In pre-1996 dictionaries you will find 'll' treated as a single symbol and listed at the end of the 'l' section.

¡Estás en España!

20 ¿A qué hora hay tren?

NVQ Level: 2 L1.1

Estás en Barcelona y quieres visitar el museo de Dalí en Figueras. Ve a la taquilla (*the ticket office*) y pregunta las horas de los trenes. (*Follow the prompts on the recording.*)

Ahora marca en el horario de trenes las salidas, llegadas y regresos.

RENFE

	21.00			BARCELONA - FRANCIA	↑	08.20			
				Barcelona - Sants			19.24		23.20
				BCN-Pg. de Gràcia			19.20		23.16
	22.07			Gerona		07.10	18.11		22.14
	22.37	↓		Figueras		06.42		20.30	
10.27				Portbou		06.22	17.22	20.20	21.19
				Cerbère		05.58	17.01		20.54

21 Las instrucciones

NVQ Level: 2 W1.2

You are in Granada travelling with a Spanish friend. Write your friend a note in Spanish with instructions on what to do for the next part of the journey: a visit to Seville. Tell him/her to go to the coach station and book two seats, non-smoking, to Seville on the 15:30 coach, for Wednesday 8th July.

Tell your friend to pay by credit card and to bring back the receipt, and tell her to meet you at Pepe's bar this afternoon at 14:00 to have some tapas and a beer.

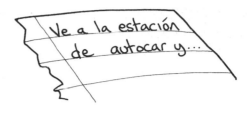

Objetivo

22 Hablando de vacaciones

NVQ Level: 2 S1.2

Habla de los planes que tienes para las próximas vacaciones. Por ejemplo: El lunes día 18 de junio salimos para España en avión …

Objetivo

23 El viaje a Cuba

NVQ Level: 2 S1.3

Mira otra vez la actividad 17 (El folleto de información). Te interesan aquellas vacaciones: ¿qué vas a preguntar al agente?

Por ejemplo: ¿Cuánto cuesta en total? ¿Cuántas ciudades visitamos?

¡Socorro!

◆ Before moving on to the next unit, be sure that you are confident about the language structures introduced in this unit, particularly the informal commands (imperatives). If in doubt look at pages 133 and 134, or the Grammar Summary p. 266. To practise telling the time, look again at Unit 5, pages 84 and 85. And every time you look at your watch, say the time in Spanish!

9 *unidad nueve*

El tiempo libre

Free time

Tus objetivos

1 Talking and asking about hobbies

2 Talking and asking about sports

3 Talking and asking about interests

1 Talking and asking about hobbies

Hablando de hobbys

Lee, escucha y repite.

Víctor:	En mi tiempo libre me gusta dibujar.
Luis:	Pero dibujar es tu trabajo ¿verdad?
Mónica:	¿Eres un artista gráfico?
Víctor:	¡No, no, soy arquitecto!
Mónica:	¿Qué dibujas?
Víctor:	En mi tiempo libre, dibujos animados.
Mónica:	¿Como Micky Mouse?
Víctor:	¡No exactamente! Es más abstracto. Y tú Mónica, ¿tienes algún hobby?
Mónica:	Sí, tengo varios, colecciono sellos ingleses, soy aficionada a la fotografía y me encanta el arte moderno.
Víctor:	Y tú Luis, coleccionas botellas de cerveza, ¿verdad?
Luis:	¡Sí, eso es un buen hobby!

Palabra por palabra

un hobby	hobby	abstracto	abstract
dibujar	to draw	colecciono	I collect
el/la artista	artist	el sello	stamp
gráfico	graphic	la fotografía	photography
el arquitecto	architect		
los dibujos animados	cartoons		

Las frases clave

Soy aficionada a la fotografía.	I'm keen on photography.
Me encanta el arte moderno.	I love modern art.
Me gusta dibujar.	I like to draw.
Me gustaría volar.	I would like to fly.
Tengo un hobby: el esquí.	I have a hobby: skiing.

This dialogue contains phrases which help you say what you like. **Aficionado** is an adjective not a verb, and has to agree with the gender of the person: **aficionada** for a girl, **aficionado** for a boy. The plural is: **aficionadas/aficionados** for the plural.

 Los gustos   Look at the list of phrases. For each person, choose a phrase that is appropriate to his/her expression.

Elige la frase apropiada según la expresión de cada persona.

1 ¡Me encanta!

¡Me encanta!   ¡No me gusta nada!   Me gusta.   Está bien.
¡Es horrible!   ¡Me gusta mucho!   No me gusta.

3 **Las aficiones**   Elige la forma correcta, según tu sexo y tu opinión.

Por ejemplo:
Soy aficionado a la fotografía.
No soy aficionada al tenis.

1. .... a la música clasica.
2. .... al piano.
3. .... a viajar en autocar.
4. .... al golf.
5. .... a la Ópera.
6. .... al arte moderno.

"Soy **aficionado** a la fotografía."

"No soy **aficionada** al tenis."

2 Talking and asking about sports

4 **Hablando de deportes**   Lee, escucha y repite.

Luis:	¡Mónica pon la televisión! Hay futból americano.
Mónica:	¡No más fútbol!
Víctor:	Mónica, ¿practicas algún deporte?
Mónica:	Sí, me encanta la natación, voy a la piscina todos los jueves. Pero mi pasión es el esquí. ¿Y tú?
Víctor:	Yo tengo una afición: el ciclismo. Salgo todos los domingos con mi bicicleta. ¡Pero se necesita mucha energía! Y tú, Luis, ¿qué deporte practicas?
Luis:	En invierno juego al fútbol y en la primavera al golf.
Víctor:	¿Y en verano?
Luis:	En verano, Mónica y yo vamos a la playa, allí se nada en el mar, se toma el sol, se descansa … ¡No se necesita mucha energía!
Mónica:	Sí, nos encanta la playa, se puede leer, se puede escuchar la radio, se puede charlar con los amigos … ¿Víctor, tú no vas a la playa?
Víctor:	No, no me gusta la playa. No se puede oir los pájaros. No se puede estar fresco a la sombra de un arból. Prefiero ir a la montaña.

Palabra por palabra

¡pon la televisión!	switch on the TV!	juego	I play
¿practicas algún deporte?	do you do any sport?	se nada	one swims
la natación	swimming (name of the sport)	se toma el sol	one sun bathes
pasión	passion	se descansa	one rests; relaxes
el esquí	skiing	se puede	one can
el ciclísmo	cycling	charlar	to chat
la bicicleta	bicycle	los pájaros	the birds
se necesita	one needs	la sombra	the shade
energía	energy	el árbol	tree

Las frases clave

Se necesita mucha energía.	One needs a lot of energy.
Se nada en el mar.	One swims in the sea.

In this dialogue you have seen and heard a new use of **se.** When **se** is placed in front of any third person verb, it means *one* or *you*. For example **se necesita** *one needs*.

5  **¡Se bebe mucho vino!**

Elige el verbo correcto para completar las frases. ¡Cuidado! Sobra un verbo.

Por ejemplo: ¡En España se bebe mucho vino!

1. En España .... mucha fruta.

2. En la playa ...., 3. ....el sol.

4. ¡no .... mucha energía!

5. Durante las vacaciones ....

6. Para practicar el aeróbic .... mucha energía.

a. se necesita   **b.** se toma   **c.** se descansa   **d.** se come

e. se nada   **f.** se bebe   **g.** se necesita

You can use **se puede** to say what one *can* and *cannot* do:

Por ejemplo: Se puede escuchar la radio. One can listen to the radio.

No se puede oir los pájaros. One can't hear the birds.

6 ¿Se puede o no se puede?

Look at the pictures, and decide if you can or cannot do what is shown. Then look at the list of verbs and write the most appropriate phrase for each picture.

Mira los dibujos y escribe.

Por ejemplo: 1.   No se puede fumar.
2.   Se puede entrar.

1. prohibido fumar
2. entrada libre
3. no nadar en el rio
4. Oficina de cambio – servicio 24 horas.
5. Salida de emergencia
6. Aparcamiento cerrado
7. parada de bus

a. cambiar   **b.** entrar   **c.** salir   **d.** nadar   **e.** coger
f. aparcar   **g.** fumar

3 Talking and asking about interests

7 Hablando de lo que te interesa

Lee, escucha y repite.

Mónica: Bueno, ¿qué te gustaría hacer esta tarde?
Luis: ¿Te interesa el teatro?
Mónica: No, prefiero ir a ver la exposición de arte moderno. ¿Quieres venir Víctor?
Víctor: Sí claro, ¿Puedo llamar a Pilar?
Mónica: Claro. El teléfono está allí.
Luis: Pero tenemos que comprar entradas y es tarde.
Mónica: ¡Tranquilo! Se compran por teléfono, con tarjeta de crédito.
Luis: Vale, vale.
Víctor: Pilar no quiere venir, esta mañana fue a jugar al tenis y quiere descansar.
Mónica: Es igual, ven con nosotros.
Víctor: No, voy a casa de Rafael y vamos a ver un vídeo.
Luis: Pero vamos a comer juntos. ¿No?
Víctor: ¡Sí, claro!
Mónica: Vamos a la pizzería, tengo vales de descuento, se comen dos pizzas por el precio de una.

Palabra por palabra

la tarde	the afternoon/ evening	tarde	late
¿te interesa?	do you like?	¡tranquilo!	keep calm!
venir	to come	fue	she went
llamar	to call	es igual	it doesn't matter
allí	there	juntos	together
las entradas	the tickets		

Las frases clave

Se also enables you to say that something is done:

Se compran por teléfono.   They are bought by telephone.

Se comen dos por el precio de una.   Two are eaten for the price of one.

Instead of saying that *something is done*, Spanish says that *something does* itself. (They buy themselves … Two eat themselves …)

This is called the reflexive passive. Here are some more examples:

Se habla español en España y en gran parte de Latinoamérica.
Spanish is spoken in Spain and a large area of Latin America.

Las entradas de teatro **se compran** en la taquilla.
Theatre tickets are bought at the ticket office.

8 ¿Qué se hace?

Elige la frase correcta para cada dibujo.

a. Se lava el coche.
b. Se prepara la comida.
c. Se coleccionan sellos.
d. Se escucha la musica.
e. Se leen los libros.
f. Se vende vino.

In Activity 4, and others, you have met the verb **jugar** *to play*. This radical changing verb changes the **u** to **ue**. (See the Grammar Summary, page 265 for the complete list.)

En invierno **juego** al fútbol.   In winter I play football.

9 **El verbo jugar**   **Completa las frases con la forma correcta del verbo.**

Por ejemplo: a. Juego con mis amigos todos los días.

a. (Yo) .... con mis amigos todos los días.

b. (Nosotros) .... al dominó los domingos.

c. ¿Quieres .... conmigo?

d. (Ellos) .... al tenis en verano.

e. (Vosotros) ¿A qué hora ....?

f. (Tú) ¿.............. al golf esta tarde?

g. (Él) .... al futból en invierno.

Interrogatives

Throughout this unit, as in the previous ones, you have heard and practised how to ask questions. You have met many question-words (interrogatives) such as:

¿Cómo?	**¿Hay?**
¿Cuándo?	**¿Por qué?**
¿Cuál? ¿Cuáles?	**¿Puedo? ¿Se puede …?**
¿Qué?	**¿Cuánto? ¿Cuánta? ¿Cuántos? ¿Cuántas?**
¿Quién? ¿Quienes?	**¿De dónde? ¿Dónde?**

In Spanish **¿Cuál(es)?** meaning *which?* refers to persons or things, and is used to select or choose *one* or *more than one* from a larger group.

For example: ¿**Cuál** quieres?   Which (one) do you want?
¿**Cuáles** quieres?   Which (ones) do you want?

¿Cuál? means **what?** before the verb **ser**.

For example: ¿**Cuál** es tu nacionalidad?   What is your nationality?

When a definition is asked for, **¿qué?** is used for *what?*.

¿**Qué** es esto?   What is this?

¿Qué? means *what* before a noun:

For example: ¿**Qué** deporte practicas?   What sport do you play?

The interrogative **¿Quién?** meaning **who?** or **whom?** refers only to people.

For example: ¿**Quién** es?   Who is it?
¿Con **quién** vives?   With whom do you live?

10 **Las preguntas**   Mira los dibujos y decide cuál es la palabra interrogativa más adecuada para completar las preguntas. (¿cómo? ¿cuál? ¿dónde? etc.)

1. ¿ ..... te llamas?

Me llamo Elena.

2. ¿ ...... eres?

Soy de Barcelona.

3. ¿ ..... vives?

Vivo con mi familia.

4. ¿ ..... deportes prácticas?

Juego al tenis.

5. ¿ ..... juegas?

Juego los domingos.

6. ¿ ..... horas juegas?

Juego dos horas.

La vida hispánica

Free time   El tiempo libre

If you visit a Spanish-speaking country you will find plenty to do whatever your hobby, sport or interests may be.

Some of the best surfing areas in South America are to be found around the coast of Peru. However, care is needed as there are sharks in these waters.

South America has one of the world's great mountain ranges, so opportunities for climbing (**el alpinismo**) are almost unlimited, with the volcanoes of Ecuador, the high peaks of Peru's **Cordillera Blanca**, and the Fitz Roy Mountains of Argentina. The best **river rafting** is in Chile's Río Biobío, but it is also available in Peru and rivers near Cuzco.

Spain offers many opportunies for skiing (**el esquí**). The North has the Pyrenees, with resorts such as *La Molina, Formigal, Picos de Europa* and many more. In the East and Central areas are '*Valdezcaray*' and '*Valdesquí*'. The South has the resort of *Solynieve* in Granada, where the snow contrasts with the surrounding hot dry country.

Sailing (**la vela**) is another great activity and Spain has some superb areas such as the Balearic Islands, the Canary Islands, the Catalan Coast and the Bay of Cádiz.

Hunting and shooting (**la caza**) and fishing (**la pesca**) are also popular. Hunting is subject to strict legislation. Fishing can be practised in Spain by anybody holding a permit and is classified into three categories: Deepsea, River or Underwater fishing.

Tennis and golf have become very popular in recent years, with Spanish sportsmen and women achieving success in championships.

Lectura

11 ▸ Los deportes
Sports

NVQ Level: 1 R1.2

Mira la lista de deportes y empareja el nombre español con el inglés.

Por ejemplo: 4c

1.	el atletismo	**a.**	cycling
2.	las pesas	**b.**	triple jump
3.	la lucha libre	**c.**	fencing
4.	la esgrima	**d.**	athletics
5.	el tiro	**e.**	high jump
6.	el ciclismo	**f.**	gymnastics
7.	la gimnasia	**g.**	archery
8.	la natación	**h.**	long jump
9.	el tenis	**i.**	rowing
10.	el salto alto	**j.**	swimming
11.	el salto largo	**k.**	shot-put
12.	el salto triple	**l.**	football
13.	el tiro con arco	**m.**	wrestling
14.	el remo	**n.**	tennis
15.	el fútbol	**o.**	weight lifting

12 ▸ La historia de los
Juegos Olímpicos

NVQ Level: 2 R1.1

Primero lee (varias veces) las diez preguntas que corresponden al texto.

1. How many countries took part in the Athens Olympics of 1896?

2. How many events were won by North Americans in 1900?
3. How many records were broken in San Luis?
4. How many Europeans took part in the San Luis games?
5. What events were added to the athletics event in 1904?
6. What did the delegates have for the first time in the London Olympics?
7. Which racing events were introduced in 1912?
8. What happened in the sixth Olympic Games?
9. When and where did the next Olympic Games take place?

10. How did Paris house the athletes of the 1924 Olympics?

Ahora lee el texto y contesta las preguntas en inglés.

LA HISTORIA DE LOS JUEGOS OLÍMPICOS

Atenas 1896. Estos juegos son los primeros de la Era Moderna. Participan 13 países en un total de nueve deportes: atletismo, pesas, lucha libre, esgrima, tiro, ciclismo, gimnasia, natación y tenis, con 285 atletas, 180 de ellos griegos.

París 1900. Los Juegos Olímpicos de París son totalmente desorganizados. No existe la ceremonia de inaguración ni de clausura. Los norteamericanos dominan el programa y ganan 17 de las 23 pruebas.

San Luis 1904. La representación de atletas no es muy numerosa, 496 participantes y de éstos sólo 64 son europeos, pero se baten seis récords e incluyen pruebas extras como el salto alto, largo y triple, el tiro con arco, el remo y el fútbol.

Londres 1908. Participan 21 naciones con 1.999 deportistas, de ellos 36 mujeres, y por primera vez las delegaciones tienen banderas.

Estocolmo 1912. En estos Juegos Olímpicos se introducen las carreras de 5.000 y 10.000 metros.

Berlín 1916. Se cancela el programa de la sexta Olimpíada a causa de la Primera Guerra Mundial.

Bélgica 1920. La situación deportiva se normaliza.

París 1924. Esta vez la organización de los Juegos Olímpicos es correcta y también se ve la primera 'ciudad olímpica' para alojar a los 3.092 atletas de 24 países.

Escucha

13 La conversación

NVQ Level: 2 L1.1

Escucha la conversación entre Javier y Víctor en el club de golf. ¿Verdadero o falso?

Por ejemplo: Javier habla con Víctor. [Verdadero.]

1. Javier habla con Víctor.
2. Víctor va a jugar al tenis con Manolo.
3. Víctor va a la fiesta de Carmen.
4. Javier no sabe si puede ir.
5. Javier no va a la fiesta de Carmen porque va al teatro.
6. Veronica tiene veintinueve años.

14 Los recados por teléfono

NVQ Level: 2 L1.2

Listen to the messages (**recados**) and make a note of each one in English.

Escucha los tres recados y toma nota de la información en inglés.

Por ejemplo: 1. Message from Javier at 2:40. *He and Rafael are going to the cinema tonight at …*

La pronunciación

Lee escucha y repite.

q: This letter is always followed by **u,** and the **u** is always silent. **qu** is pronounced as an English K:

quince **qu**eso ¿**qui**én? pe**que**ño es**quí**

¡Estás en España!

15 La encuesta The survey

NVQ Level: 2 S1.3

Estás en España y te invitan a participar en una encuesta sobre el deporte y los pasatiempos. Contesta las preguntas. *(Follow the prompts on the tape.)*

 Escribe

16 La carta

NVQ Level: 2 W1.2

Lee la carta de tu nuevo amigo Julio.

¡Hola!

Tengo afición a la fotografía y voy a clases de fotografía un día por semana. ¡Me gustaría viajar a África para practicar mi afición! ¿Cuáles son tus aficiones? No me gusta el deporte en general pero me gusta ver el tenis de Wimbledon en la televisión y a veces voy a la piscina. ¿Tú practicas algún deporte?

En mi tiempo libre, escucho música, leo, o voy al cine con mis amigos. Y, a ti, ¿qué te interesa hacer?

¡Escribe pronto!

Julio

Ahora escribe una carta a Julio, y contesta sus preguntas

Querido Julio:

....

....

¡Hasta luego!

17 ¿Cómo se pregunta?

NVQ Level: 2 S1.3

Write down how would you ask someone the following:

1. What do you do in your spare time?
2. Do you have any hobbies?
3. What do you collect?
4. What is your favourite sport?
5. Do you like tennis?
6. Do you do any sport?
7. Why do you dislike football?
8. What is your favourite pastime?
9. Do you prefer to watch a video at home or go to the cinema?
10. How many times per week do you go out with friends?

¿Éxito?

Objetivos &

18 **Me encanta la fotografía**

NVQ Level: 2 W1.3

Escribe parte de una carta a un(a) amigo(a) español(a), con una descripción de tus hobbys.

Por ejemplo: Me encanta la fotografía, también colecciono sellos …

Ahora, menciona los deportes que te interesan. Por ejemplo: Soy aficionado(a) al tenis …

Escribe unas 100 palabras en total.

Objetivo

19 **Me interesan mucho los idiomas**

NVQ Level: 1 W1.2

Escribe una lista de lo que te interesa mucho o bastante, o de lo que no te interesa nada. Menciona unas diez cosas. Por ejemplo:

Me interesan mucho los idiomas.
Me interesa bastante la fotografía.
No me interesa nada coleccionar sellos. ¡Es aburrido!

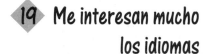

¡Socorro!

♦ For extra practice, write down three interests and three sports and state whether you like or dislike them. Check you have the correct form of **el/la/los/las** in front of each sport by looking at Activity 11 on page 156.

Unidades 7, 8, y 9

Repaso 3

1. 2. 3. 4.

1 ¿Qué hace?

NVQ Level: 2 L1.1

Escucha la rutina de la chica y contesta las preguntas en inglés.

1. What is the young girl called?
2. What is she going to talk about?
3. On what days does she go to bed before 11pm?
4. What time does she get up for work?
5. Where does she work?
6. What's the office like?
7. What floor is it on?
8. What's the view from the office window like?
9. How many days per week does she work at the office?
10. What does she do the other days of the week?
11. Why are Saturday and Sunday her favourite days?

2 La rutina de Matilde

NVQ Level: 2 W1.1

Ahora escribe la rutina de Matilde en español. *(Use your answers to the questions above as a guide.)*

Por ejemplo: 1. La chica se llama Matilde.

3 ¿Qué te pasa?

NVQ Level: 1 S1.2

Imagina que tú eres la persona en los dibujos. Di la frase apropiada para cada dibujo, con *tener*. Habla.

Por ejemplo: 1. Tengo frío.

4 ¿Qué le pasa?

NVQ Level: 1 S1.2

Ahora imagina que la persona en los dibujos es un amigo/una amiga.

Di las frases.

Por ejemplo: 1. Tiene frío.

5 La chica mandona

NVQ Level: 1 W1.2

You have spilt coffee over Marisa's list of things for her brother to do. Can you can work out what the commands are? (NB **una nevera** = a fridge.)

Escribe.

Por ejemplo: 1. Haz lo siguiente: *Do the following:*

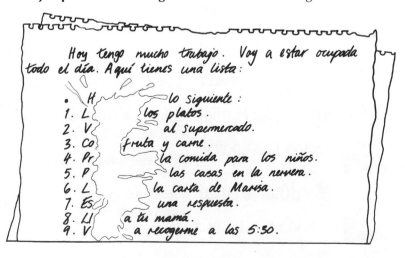

Hoy tengo mucho trabajo. Voy a estar ocupada todo el día. Aquí tienes una lista:

- H   lo siguiente:
1. L   los platos.
2. V   al supermercado.
3. Co   fruta y carne.
4. Pr   la comida para los niños.
5. P   las casas en la nevera.
6. L   la carta de Marisa.
7. Es   una respuesta.
8. Ll   a tu mamá.
9. V   a recogerme a las 5:30.

6 ¿Qué fecha es?

NVQ Level: 1 W1.1

Mira los dibujos y escribe las fechas correspondientes.

Por ejemplo:
1. El siete de junio de mil novecientos setenta y dos.

7 ¿Qué meses faltan?

NVQ Level: 1 S1.2

En la Actividad 6 hay siete meses. Ahora di los cinco meses que faltan (*that are missing*) para completar los doce meses del año.

Por ejemplo: febrero

8 Los deportes

NVQ Level: 2 L1.1

Escucha qué dicen las cuatro personas sobre el deporte y después escribe en inglés.

Por ejemplo: 1. *Martín says he is keen on football.*

9 Un juego de mesa

NVQ Level: 1 R1.1

Para jugar este juego necesitas dos dados (*dice*).

Contesta según el número que tiras (*throw*).

Escribe las respuestas.

Por ejemplo: 2. Lunes.

10 *unidad diez*

De compras
Shopping

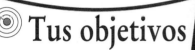

Tus objetivos

1 Shopping for clothes, including talking about colours and sizes

2 Shopping in department stores, including shopping for gifts

3 Making a complaint

---

1 Shopping for clothes, including talking about colours and sizes

1 En la tienda de ropa   In the clothes shop

Lee, escucha y repite.

Francisco:	Buenos días; quiero esta camiseta.
Dependienta:	¿Ésta verde?
Francisco:	No, ésta amarilla. Dice: "España; todo bajo el sol."
Dependienta:	Muy bien. ¿Algo más?
Francisco:	¿Tiene vaqueros?
Dependienta:	Claro. ¿Qué color, y qué talla?
Francisco:	Azul; 84, cortos.
Dependienta:	84, corto … sólo los tenemos en gris, largos.
Francisco:	¿Tiene mi talla en negro?
Dependienta:	Vamos a ver … Sí, la tengo en negro.
Francisco:	Vale; voy a probarlos.

Carmen:	Buenos días. Quiero comprar un bañador.
Dependienta:	¿De una pieza o bikini?
Carmen:	De una pieza.
Dependienta:	¿Qué talla?
Carmen:	Mediano; en rojo si lo tienen.
Dependienta:	En rojo; vamos a ver. ¿Le gusta éste?
Carmen:	No me gusta; es demasiado grande … Éste es más pequeño.
Dependienta:	Muy bien; también lo tenemos en blanco y negro, o en rosa …

| Carmen: | No; lo quiero en rojo, gracias. |
| Dependienta: | Muy bien. |

Palabra por palabra

la tienda	shop	la talla	size
la ropa	clothes	corto	short
la camiseta	T-shirt	largo	long
el dependiente/		probar	to try on
la dependienta	shop assistant	el bañador	bathing costume
"todo bajo el	"everything	de una pieza	one-piece
sol"	under the sun"	mediano	medium
los vaqueros	jeans	pequeño	small
el color	colour	demasiado	too

Aprende los colores:

verde	green	marrón	brown
amarillo	yellow	negro	black
azul	blue	rojo	red
gris	grey	rosa	pink

 **2 En la zapatería** Lee, escucha y repite.

Jimena:	Busco un par de sandalias, para la playa.
Dependiente:	¿De qué color?
Jimena:	Marrón, o negro.
Dependiente:	Las hay de piel, o de plástico.
Jimena:	Las quiero de piel, por favor.
Dependiente:	¿Qué número calza usted?
Jimena:	Calzo el 40.
Dependiente:	Éstas marrones son muy bonitas.
Jimena:	Sí, me gustan. Voy a comprarlas.

Palabra por palabra

buscar	to look for	el número	size (of shoes)
el par	pair	calzar	to take (of size
sandalias	sandals		of shoes)
la piel	leather	bonito	nice
el plástico	plastic		

Las frases clave

In the above dialogues you have met the words for *it*: **lo** and **la**, and *them*: **los** and **las**.

También **lo** tenemos en blanco y negro.	We also have it in black and white.
Sólo **los** tenemos en gris.	We only have them in grey.

These are direct object pronouns. You can see the job they do from these sentences:

Quiero **un bañador**; en rojo si **lo** tienen.	I want a bathing costume; in red if you have it.
¿Tiene **esta camiseta** en amarillo?	Have you got this T-shirt in yellow?
Sí, **la** tengo en amarillo.	Yes, I have it in yellow.

Direct object pronouns take the place of nouns that receive the action of the verb.

You can also use lo/la/los/las with **hay**:

Las hay de piel.	There are leather ones.

You will also have seen that direct object pronouns go in front of the verb, but are placed on the end of infinitives:

Voy a probar**los**.	I'm going *to try them on*.
Voy a comprar**las**.	I'm going *to buy them*.

Direct object pronouns can also refer to people:

No **me** interesa.	It doesn't interest me.
Voy a recoger**te** a las ocho.	I'm going to pick you up at eight.

You can see the complete list of direct object pronouns in the Grammar Summary, page 266.

3 **No lo tengo conmigo**

Express the ideas in brackets.

Escribe las ideas.

Por ejemplo: 1. No lo tengo conmigo.

1. ¿El dinero? (You haven't got it with you.)
2. ¿Las tarjetas? (You haven't got them with you.)
3. ¿Los vaqueros? (You are going to buy them.)
4. ¿La camiseta? (You are going to buy it.)
5. ¿Las sandalias? (There are plastic ones.)
6. ¿Los zapatos? (Ask if they have them in brown.)

2 Shopping in department stores, including shopping for gifts

4 **En unos grandes almacenes**

Lee, escucha y repite.

Marta:	Por favor, ¿dónde está la sección de regalos?
Dependienta:	En la tercera planta. El ascensor está a la izquierda.
Marta:	Gracias.
(En la tercera planta)	
Marta:	Busco algo de piel, para un regalo. ¿Cuánto valen estas carteras?
Dependienta:	Son muy baratas. También tenemos otros artículos de piel: cinturones, bolsas, monederos …
Marta:	Aquellos cinturones negros; ¿los tiene en marrón?
Dependienta:	Sí; ¿qué talla?
Marta:	Pequeña.
Dependienta:	¿Lo envuelvo?
Marta:	Sí, por favor; es para un regalo.
Dependienta:	Muy bien.

Palabra por palabra

los grandes almacenes	the department store	la cartera	wallet
la sección	department	el artículo	article; goods
el regalo	gift	el cinturón	belt
la planta	floor	el monedero	purse
el ascensor	the lift	envolver(ue)	to wrap up

❸ Making a complaint

⑤ ◆ La reclamación   **Lee, escucha y repite.**

Luis:	Buenas tardes. Este reloj; lo compré aquí.
Tendero:	¿Hay algún problema?
Luis:	Pues no funciona. Después de un día, dejó de funcionar.
Tendero:	¿Tiene el recibo?
Luis:	Sí, tenga. Y cuando miré el recibo, vi que ustedes me lo vendieron sin garantía.
Tendero:	Sin embargo, es un reloj de calidad.
Luis:	Sí, de muy mala calidad. Pagué bastante dinero. ¿Se puede reparar?
Tendero:	No; lo siento.
Luis:	¿Pueden cambiarlo?
Tendero:	No tenemos otros como éste.
Luis:	Tanto mejor. Entonces, me pueden devolver el dinero?
Tendero:	Sí; le devolvemos el dinero.

Palabra por palabra

la reclamación	complaint	sin embargo	nevertheless
el reloj	watch	de calidad	of quality
el tendero	shopkeeper	pagué	I paid
el problema	problem	bastante	enough
funcionar	to work	reparar	to repair
dejó de funcionar	it stopped working	cambiar	to exchange
miré	I looked at	tanto mejor	so much the better
ustedes me lo vendieron	you sold it to me	devolver(ue)	to return, give back
sin garantía	without a guarantee		

Las frases clave

The above dialogue has examples of the simple past tense, which is also called the preterite. You can see a pattern for saying *I did something*, with **-ar** verbs:

Lo **compré** aquí.	I bought it here.
Miré el recibo.	I looked at the receipt.
Pagué bastante dinero.	I paid enough money.

Note the extra **u** in **pag*u*é,** needed to harden the **g**.

The ending you need is **é**. You have also seen an example of the third person singular:

Dejó de funcionar.   It stopped working.

Here are two examples of the preterite of **-er** verbs:

Vi que ustedes me lo **vendieron** sin garantía.   I saw that you sold it to me without a guarantee.

-ir verbs share the same pattern.

6 ¿Qué pasó? What happened?

Empareja los dibujos con las frases. ¡Cuidado! ¡Hay un dibujo que sobra!

Por ejemplo: 1b.

a.   b.   c.

d.   e.   f.   g.

1. En la sección de ropa, compré unos vaqueros.
2. Salí de casa a las nueve.
3. Volví a casa a las doce.
4. Comí en el restaurante.
5. En la sección de regalos, miré las carteras.
6. Llegué a los grandes almacenes a las nueve y media.

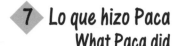

7 Lo que hizo Paca
What Paca did

Spot the verbs that have irregular preterites in this account of a shopping trip:

Lo que hizo Paca

Mi amiga Paca me dijo que fue a las tiendas para comprar ropa. ¡Fue un desastre! Cuando llegó a la boutique Moda Joven, la cerraron para el almuerzo. Viajó en autobús al Corte Inglés, pero no compró nada, porque no encontró nada interesante. Pero me trajo un regalo: ¡una camiseta que no le gustó!

The irregular verbs are: **hizo** *she did*, **dijo** *she told*, **fue** *she went* and **trajo** *she brought*.

These verbs are members of the **pretérito grave** (strong preterite) group. You will find more information about this in the Grammar Summary, page 263. Learn which verbs belong to this group, their stems, and the pattern of their endings. Note particularly the preterite of **ser** *to be* and **ir** *to go*: it's the same for both verbs!

8 Las aceitunas negras
The black olives

Completa las frases con los verbos de la lista.

La vida en España es muy lenta. ....**Tuve**...... mucha suerte, porque en una pequeña tienda de comestibles .... comprar muchas especialidades de la región. Después de comprarlas, ... al tendero "¿Tiene usted aceitunas negras?" Él me.............. "Espere un momento: voy a ver". .... un cuarto de hora allí, y por fin volvió y me .... "No, lo siento". Pagué por las cosas, las .... en mi bolsa, y salí sin las aceitunas.

estuve	puse	dije	tuve	dijo	pude	dijo

The **tú** form of the preterite is very useful for asking questions. Look in the Grammar Summary at the **tú** form for each conjugation, then complete this exercise.

9 ¿Qué hiciste?

Escribe estas preguntas en inglés.

Por ejemplo: 1. Where did you go?

1. ¿Adónde fuiste?

2. ¿Qué compraste?
3. ¿Qué buscaste?
4. ¿A qué hora volviste?

 **Lectura**

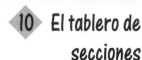 **El tablero de secciones**

Lee el tablero de secciones y contesta las preguntas.
Planta

NVQ Level: 1 R1.1

PLANTA 5	HOGAR TEXTIL: Ropa de cama y mesa Toallas Tapicería Colchones Muebles Lámparas Galería de arte	PLANTA 6	CAFETERIA RESTAURANTE Buffet libre OFICINAS
PLANTA 3	JOVEN ELLA, JOVEN ÉL: Pantalones vaqueros Faldas y blusas Sport Tienda ella Baño	PLANTA 4	HOGAR MENAJE: Regalos Cristal y porcelana Automóvil Electrodomésticos Radio y TV
PLANTA 1	SEÑORAS: Confección Pantalones Faldas y blusas Complementos Futura mamá Baño CABALLEROS: Camisería Confección Ropa interior Complementos Baño	PLANTA 2	NIÑOS Y NIÑAS: Confección Pantalones Ropa interior Sport Juguetes Boutique bebé
PLANTA BAJA		Bolsos Artículos de viaje Turismo Cinturones Paraguas Sombreros Libros Papeles Discos Fotografía Zapatería Agencia de Viajes	
SÓTANO		SUPERMERCADO: Carnes Pescados Frutas Verduras Mariscos Vinos Licores Pastelería Platos preparados Quesos	

Imagina que visitaste estos grandes almacenes. ¿En qué planta:

a. comiste y bebiste?
b. compraste bebidas ?
c. buscaste un regalo para tu amigo?
d. compraste un billete de avión?
e. visitaste las oficinas?
 f. compraste un cinturón de piel?
g. compraste una televisión?
h. compraste ropa para un niño de 6 años?

Escucha

11 En una tienda de regalos

NVQ Level: 1 L1.1

Empareja lo que dice el dependiente con los dibujos. ¡Cuidado! ¡Hay uno que sobra!

A.   B.   C.   D.   E.   F.

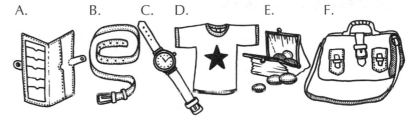

12 Ropa de color

NVQ Level: 1 L1.1

Escucha y nota en inglés los artículos y los colores.

Por ejemplo:

Artículo	Color
One-piece bathing costume	Green

La pronunciación

Escucha y repite.

R has a 'flapped' sound when it is not at the beginning of a word:

   colo**r**   bañado**r**   comp**r**a**r**   co**r**to   neg**r**o   pe**r**o

At the beginning of a word, r has a 'rolled' sound:

   rojo   **r**osa   **r**ecoger   **r**egalo   **r**eloj

rr always has the 'rolled' sound:

   ma**rr**ón   abu**rr**ido   ba**rr**a   se**rr**ano   pe**rr**o

Trabalenguas

Say this tongue-twister as quickly as you can. Then listen to the recording and say it with the speakers.

Habla, escucha y repite.

El perro de San Roque no tiene rabo porque Ramón Ramírez se lo ha cortado.

Chiste

DEVOLVEMOS SU DINERO EN CASO DE INSATISFACCIÓN

¿Puede usted devolverme mi dinero?

Pero, señora, ¡su dinero nos da mucha satisfacción!

La vida hispánica

De compras

Outside the tourist areas of Spain, prices of everyday items compare reasonably with those in other European countries. There are of course large and small supermarkets, and newspapers and magazines can be obtained from the many pavement kiosks. Here are some more useful names of shops:

la joyería	jeweller's
la papelería	stationer's
la ferretería	hardware store
la farmacia	chemist's
la bisutería	cheap jeweller's
la librería	bookshop
la droguería	drugstore

Department stores

By far the biggest chain of department stores in Spain is **El Corte Inglés**, with branches in all the major cities. The name means *The English Cut*. It started as a small tailor's shop in a Madrid side street and is now partly British-owned. All branches have restaurants and/or **cafeterías**. Other large chains are **Maya** and **Corte Fiel**. There are also **centros comerciales**: groups of small retail outlets under one roof such as **Continente** and **Al Campo**. Outside the big cities you will often find **hipermercados** such as **Pryca**, where you can buy almost anything.

Las quejas/reclamaciones

Many stores have forms for complaints and suggestions. These are often found at airports too. In Spanish restaurants, the proprietor is required to provide a complaints book; **el libro de reclamaciones**. You will often see a sign which simply says **Hay libro**. Another word for a complaint is **una queja**; this is more in the way of a gripe, rather than an official complaint.

¡Estás en España

13 Quiero unos zapatos, por favor

NVQ Level: 1 S1.2

Di que quieres estas cosas:

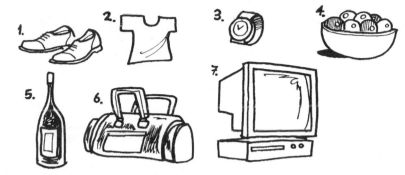

14 Quiero hacer una reclamación

NVQ Level: 1 S1.2

Escucha y di las frases en español.

15 ¿Qué hiciste? What did you do?

NVQ Level: 1 S1.2

Explicas a un(a) amigo(-a) español(a) lo que compraste en las tiendas. Mira los dibujos y contesta las preguntas.

Por ejemplo: a. Fui a la zapatería.
b. Compré un par de zapatos blancos.

a. ¿Adónde fuiste primero?
b. ¿Qué compraste allí?
c. Y luego, qué hiciste?
d. Y finalmente, qué hiciste?
e. A qué hora volviste a casa?

Luego, escribe la historia. ¡Incluye los colores!

Por ejemplo: Fui a la zapatería, donde compré un par de zapatos blancos …

Objetivo 1

16 Comprar ropa

NVQ Level: 1 S1.2

Contesta:

- Tus zapatos: ¿De qué color son? ¿Qué número calzas?
- Cuando llevas vaqueros o pantalones: ¿De qué color son? ¿Y la talla? ¿El cinturón es de piel o de plástico?
- Cuando vas a la playa o a la piscina, ¿de qué color es tu bañador? Es pequeño o mediano? ¿De qué color es?

Objetivo 2

17 En los grandes almacenes

NVQ Level: 1 S1.2

Contesta:

La última vez que fuiste a unos grandes almacenes:
¿Qué compraste?
¿Qué plantas visitaste?
¿Pagaste mucho?
¿Hiciste una reclamación?

Objetivo  3

18 Hacer una reclamación

NVQ Level: 1 W1.1

Escribe unas frases en español para decir que no te gusta el color/la talla/el número de un artículo, o que no funciona. Pregunta qué solución tiene el tendero.

Por ejemplo: Esta camiseta es verde, no amarilla. ¿Puede cambiarla?

¡Socorro!

- ◆ ¿Tienes problemas con los colores? Describe tu ropa.

  Por ejemplo: Mis zapatos son marrones …
- ◆ ¿Tienes problemas con el pretérito? Haz algunas frases en español para decir lo que hiciste recientemente.

  Por ejemplo: El lunes fui a la universidad, el martes compré un libro …
- ◆ ¿Tienes problemas con los pronombres objetivos (*direct object pronouns*)? Imagina que no te gusta alguna comida.

  Por ejemplo: ¿La sopa? No la quiero. ¿Los boquerones? No los quiero.

11 *unidad once*

Mi familia

My family

1 Talking and asking about families

Tus objetivos

1. Talking and asking about families

2. Saying what family members do

1

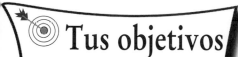

Hablando de mi marido y mis hijos

Talking about my husband and children

Lee, escucha y repite.

Begoña: ¿Tu marido no es español, verdad?

Magda: No, yo estoy casada con un irlandés y vivimos en Inglaterra.

Begoña: ¿Cómo se llama tu marido?

Magda: Se llama Michael.

Begoña: Y, ¿cómo es?

Magda: Pues es rubio, un poco calvo, tiene los ojos azules, lleva bigote y barba y es un poco gordo.

Begoña: Y, ¿dónde conociste a tu marido?

Magda: Le conocí en Londres; cuando fui allí para estudiar inglés.

Begoña: ¿Tenéis hijos?

Magda: Sí, tenemos dos hijas; mira esta foto, éstas son mis hijas.

Begoña: ¡Qué guapas! Una rubia y una morena, las dos con el pelo largo. ¡Y qué altas! ¿Cómo se llaman?

Magda: La mayor, la rubia, se llama Jessica y la menor, la morena, se llama Emma.

Begoña: ¿Cuántos años tienen?

Magda: Jessica tiene veintidós años y su hermana Emma tiene diecinueve años.

Begoña: ¿Tienen novio, ya?

Magda:	\multicolumn{3}{l}{Jessica sí, pero Emma es demasiado joven. Y tú ¿tienes novio?}
Begoña:	\multicolumn{3}{l}{¡No, no! Yo quiero ser soltera.}

Palabra por palabra

casada/o con	married to	¡qué guapas!	how beautiful!
irlandés/esa	Irish	moreno/a	brunette
rubio/a	blonde	el pelo	hair
calvo	bald	alto/a	tall
los ojos	eyes	la mayor	the eldest
el bigote	moustache	la menor	the youngest
la barba	beard	la hermana	sister
gordo/a	fat	el novio	fiancé
los hijos	children	joven	young
	(*also* sons)*	soltero/a	single
las hijas	daughters		

*The masculine plural is used to refer to a mixture of masculine and feminine

e.g. **los padres**   the parents
     señores   Mr and Mrs
     los reyes   the king and queen

Las frases clave

¿Dónde conociste **a** tu marido?	Where did you meet your husband?
Quiero visitar **a** la familia de Pierre.	I want to visit Pierre's family.
Voy a ver **a** Carmen, mañana.	I'm going to see Carmen, tomorrow.

When the direct object of the verb is a person, **a** is placed before the person. This is called the personal a.

> **Por ejemplo:**   Vi **a** un amigo ayer.   I saw a friend yesterday.

The personal a is not used with the verb **tener:**

> **Por ejemplo:**   Tengo una amiga.   I have a friend.

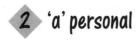 **2 'a' personal**

Write the sentences in Spanish using the 'a' where appropriate.

Completa las frases.

1. Veo ..... el fútbol todos los sábados.
2. Voy a ver ..... Luisa.
3. Visitamos ..... mis padres en agosto.
4. Visité ..... Roma con mi marido.
5. Tengo ..... un amigo en Figueras.

6. Vi ..... mi tía ayer.
7. Voy a ver ..... Futuroscope en Francia.
8. Tengo ..... una casa en Sevilla.
9. Veo ..... mis abuelos una vez por semana.
10. Cuándo fui a Madrid vi ..... el museo del Prado.

3 Hablando de la familia en general

Lee, escucha y repite.

Begoña: ¿Visitas España mucho?

Magda: Sí, una o dos veces al año, para ver a mis padres.

Begoña: ¿Vienes sola o con tus hijas y tu marido?

Magda: Siempre vengo con mis hijas; les gusta mucho estar en España y ver a sus abuelos.

Begoña: ¡Y al abuelo y la abuela les encanta ver a sus nietas! ¿Verdad?

Magda: ¡Claro! Verlas y darles regalos.

Begoña: ¿Tienes mucha familia en España?

Magda: Pues no, yo soy hija única y mi padre también es hijo único, pero mi madre tiene dos hermanas, Carmen y Luisa.

Begoña: Entonces tienes tíos y tías, ¿verdad?

Magda: Sí.

Begoña: Y ¿tienes primos?

Magda: Sí, tengo tres primos muy guapos, Juan, David y Víctor. Juan y Víctor son morenos pero David es rubio.

Begoña: ¿Están casados?

Magda: Juan y David están casados pero Víctor es soltero.

Begoña: ¿Cómo son sus mujeres?

Magda: Pues mira, la mujer de Juan se llama Menchu; es muy baja y delgada. La mujer de David se llama Marta, y también es muy delgada.

Begoña: ¿Tienes alguna prima?

Magda: Sí, tengo dos primas muy simpáticas. Luisa es morena con el pelo largo y Carmen es morena también con el pelo muy corto.

Begoña: ¡Oye! Juan y Carmen son gemelos, ¿verdad?

Magda: Sí. ¡Mira, aquí tengo una foto de ellos! Carmen me la mandó.

Begoña: A mi hermano le gustaría ver esta foto. ¿Puedo enseñársela a él?

Magda: Sí, claro, ¡pero tienes que devolvérmela!

Begoña: Se la enseño esta noche y te la devuelvo mañana. ¿Vale?

Magda: No, mañana no estoy aquí. Devuélvemela el miércoles.

Palabra por palabra

los padres	parents	el primo	cousin (m)
el marido	husband	la prima	cousin (f)
los abuelos	grandparents	la mujer	wife
las nietas	granddaughters	bajo/a	short (height)
los regalos	presents	delgada	thin
el padre	father	simpático/a	nice; pleasant
hijo/a único/a	only child	gemelos	twins
la madre	mother	enseñársela	show it to him
los tíos	uncles	devuélvemela	return it to me
las tías	aunts		

 **Crucigrama** **Para practicar el vocabulario de la familia, haz este crucigrama.**

Horizontales

1. wife
2. sister
5. brother
6. grandmother
7. son
8. grandson
9. cousin (female)

Verticales

1. husband
3. grandfather
4. cousin (male)
7. daughter
8. granddaughter

Las frases clave

A mis padres les encanta dar**les** regalos.   My parents love to give presents to them.

In this dialogue you have met the words for: *to me* **me**, *to you* (singular informal) **te**, *to him/her/you* (singular formal) **le**, *to them* (male/female/you (plural formal) **les**.

The others are: *to us* **nos**, *to you* (plural informal) **os**.

These are the indirect object pronouns. They are often used together with direct object pronouns. (To revise direct object pronouns see *Unidad 10*, page 167 or the Grammar Summary, page 266.)

When there are two object pronouns, the indirect object pronoun comes first:

Te la devuelvo mañana.   I'll return it to you tomorrow.

When the verb is not an infinitive, the pronouns must be placed before the verb:

Carmen **me la** mandó.   Carmen sent it to me.

5 Me lo explicas
You explain it to me

Mira los dibujos y elige la frase más apropiada de la lista.

Por ejemplo: 1c

a. ¿Te los limpio?
b. ¿Te las pongo?
c. ¡Un momento, te las compro!
d. ¿Os los coméis dentro o fuera?
e. ¿Te lo corto?
f. Nos los hacen de jamón.

When the verb is an infinitive, you can either put the pronouns before the verb or on the end of it.

Either: ¡Pero **me la** tienes que devolver!

or: ¡Pero tienes que devolvér**mela**!   But you have to return it to me!

Note that when you add the pronouns at the end of the verbs you must also add an accent to the verb in order to keep the stress on the same syllable.

6 ¿Puedes reservármelos?

Mira estas frases y cámbialas según el ejemplo.

Por ejemplo:
(los libros) ¿Me los puedes reservar? ¿Puedes reservármelos?

1. (el coche)   ¡Te lo quiero comprar!
2. (las fotos)   ¿Nos las puedes mandar?
3. (la mesa)   Os la puedo reservar.
4. (los chocolates) ¡Me los quiero comer!

When the verb is a command (imperative), the pronoun(s) are placed at the end of it:

Devuélve**mela** el miércoles.   Return it to me on Wednesday.

If both pronouns are in the third person (i.e. begin with the letter *l*), the indirect object pronoun (i.e. the one that comes first) changes to **se**.

¿Puedo enseñár**sela** a él?   Can I show it to him?
Se la enseño esta noche.   I'll show it to him tonight.

As you have seen, **se** could refer to more than one person. In order to make things clear and avoid confusion you can place the following at the end: **a él** (*to him*), **a ella** (*to her*), **a usted** (*to you*, singular formal), **a ellos** (*to them*, male), **a ellas** (*to them*, female), **a ustedes** (*to you*, plural formal) or the name of the person or persons in question.

7 Quiero dársela a Pedro

Mira estas frases y cámbialas según el ejemplo.

Por ejemplo:
Quiero dar la foto a Pedro.
= Quiero dársela (a él).

Voy a mandar estos libros a Juan.
= Voy a mandárselos (a él).

1. Quiero dar las fotos a Pedro.
2. Voy a comprar este coche para Susana.
3. Tengo que reservar la mesa para el señor Torres.
4. Vamos a mandar estos libros a mi primo.

2 Saying what family members do

8 Hablando de lo que hacen

Talking about what they do

Lee, escucha y repite.

Begoña: ¿Tus padres trabajan?

Magda: No, mis padres están jubilados.

Begoña: Y tu marido, ¿en qué trabaja?

Magda: Él es un hombre de negocios; trabaja en el centro de Londres. ¡Tenemos que levantarnos muy temprano!

Begoña: ¡Huy, qué duro! Y tus hijas son estudiantes, ¿verdad?

Magda: Bueno, mi hija mayor terminó sus estudios el año pasado y ahora trabaja en el Japón.

Begoña: ¡No me digas! ¿Cuándo se marchó?

Magda: Pues, se marchó en febrero y quiere quedarse allí varios años. Le gusta mucho vivir en Tokio.

Begoña: ¡Oye, qué interesante! Y tu hija menor, ¿qué hace?

Magda: Emma, mi hija menor es estudiante. Estudia en la universidad en el País de Gales.

Begoña: ¡Ah sí! ¿Y ella habla galés?

Magda: Un poco, pero lo estudia un día por semana.

Begoña: ¡Caramba, a tus hijas les gustan los idiomas! ¿Y tú trabajas?

Magda: ¡Sí mujer, claro que trabajo! Trabajo en una tienda dos días por semana. Los otros días soy ama de casa.

Begoña: Y el resto de tu familia, ¿qué hace?

Magda: Pues tengo un tío que es ingeniero, una tía que es peluquera, un primo que es abogado y una prima, Carmen, que es azafata.

Begoña: ¿Y la famila de tu marido?

Magda: Pues ... Miguel tiene un tío que es cura y varios primos granjeros en Irlanda. ¿Y tu familia?

Begoña:	¡Qué casualidad! Yo también tengo un tío que es cura.
Magda:	¿En Irlanda?
Begoña:	¡No mujer, en Sevilla!
Magda:	Y el resto de tu familia, ¿qué hace?
Begoña:	Pues, mi abuelo es viejo y está jubilado. Mi padre es bombero y mi hermano es fontanero. También tengo un tío que es electricista.
Magda:	Y tú, Begoña, ¿qué haces?
Begoña:	Yo estudio; quiero ser periodista.

Palabra por palabra

jubilado/a	retired	el/la peluquero/a	hairdresser
hombre de negocios	business man	el abogado	lawyer
		la azafata	flight attendant
temprano	early	el cura	priest
marcharse	to leave	el granjero	farmer
el ama de casa*	housewife	viejo/a	old
feliz	happy	el bombero	fireman
el País de Gales	Wales	el fontanero	plumber
el galés	Welsh	el electricista	electrician
el idioma	language	el/la periodista	journalist
el/la ingeniero	engineer		

* Notice that **la** becomes **el** before a stressed **a**.

Las frases clave

Note the position of reflexive pronouns in these sentences:

Tenemos que **levantarnos** muy temprano.	We have to get up very early.
Se marchó en febrero.	She left in February.
Quiere **quedarse** allí varios años.	She wants to stay there several years.
Se quiere **quedar** allí porque está muy feliz.	She wants to stay there because she is very happy.

In this dialogue you have seen how the reflexive verbs follow the same rule as the direct and indirect object pronouns. You are already familiar with reflexive verbs; they were covered in *Unidad 7*.

◆ 9 ▸ El virus del ordenador
The computer virus

Look at this piece of text. Owing to a computer virus all the reflexive verbs have not only dropped to the bottom of the screen but have changed to the infinitive form. Rewrite them in the correct form and place. Note that two will need to stay in the infinitive and you will need to use some words several times.

Escribe.

Por ejemplo: Siempre me despierto temprano …

Siempre .... temprano y normalmente
.... a las siete y media; lo primero
que hago es .... o ....
Mi marido, mis hijas y yo desayunamos juntos
y después .... a nuestros trabajos.
Miguel .... a la oficina, yo ....
a la tienda y mis hijas .... a sus
trabajos. Los días que no trabajo ....
en casa.

levantarse   bañarse   marcharse   despertarse
quedarse   ducharse

La vida hispánica

La familia

In a recent poll 98 per cent of Spaniards said the family was 'very important'; more so than work, friends, leisure, religion and politics. 54 per cent went as far as saying they would 'give their lives' for a close relative.

Such strength within the family helped people to cope with the changing values in Spanish society during the transition from dictatorship to democracy, and more recently during the economic crisis of surging property prices and huge youth unemployment.

Recent surveys have shown that about 70 per cent of Spaniards between the ages of 18 and 29, married or single, live with their parents. However, this trend seems to have left young Spaniards unwilling to form families of their

own. At present Spain not only has the lowest marriage rate in the European Union but the lowest birth rate as well.

Gone are the **familias numerosas** (*large families*) of six children or more, which where rewarded with cash benefits during the rule of Franco. Very soon, Spanish families may be the smallest in Europe.

Lectura

10 La familia real española

NVQ Level: 2 R1.1

Lee el texto varias veces y después rellena los espacios.

Juan Carlos de Borbón y Borbón, Rey de España, nació en Roma en 1938. Estudió en Suiza y en España, y se casó con la princesa Sofía de Grecia en 1962. Comenzó su reinado el 22 de noviembre de 1975 como Juan Carlos I.

Juan Carlos y Sofía tienen tres hijos; Elena, la hija mayor, nació en Madrid el 14 de diciembre de 1963. Estudió en España y le encanta la lectura, el esquí y la música clásica. Cristina nació el 13 de junio de 1965 en Madrid. Vive y trabaja en Barcelona, donde tiene un apartamento. La residencia oficial de la familia real española es el Palacio de la Zarzuela, una residencia modesta en las afueras de Madrid.

Felipe, Príncipe de Asturias y heredero de la Corona de España, nació en Madrid el 30 de enero de 1968. Estudió en Madrid y en los Estados Unidos de América. Es aficionado a la vela, deporte que practica toda la familia en su yate *Fortuna*.

En 1995, Elena se casó con Jaime de Marichalar, un aristócrata español. La boda fue celebrada en la catedral de Sevilla y fue la primera boda real celebrada en España desde 1906. Asistieron 1.300 invitados, entre ellos miembros de otras monarquías como Paola de Bélgica, Rainero de Mónaco, Victoria de Suecia, Beatriz de Holanda, los Grandes Duques de Luxemburgo, el príncipe de Noruega, el príncipe de Tailandia, el príncipe de Gales, los principes de Liechtenstein, representantes de la casa real de Bulgaria y de Marruecos, el príncipe de Dinamarca y Constantino de Grecia, hermano de la reina Sofía de España.

King Juan Carlos was educated in (1) .... and (2) .... He began his reign in (3) .... The heir to the Crown is called Felipe and his title is (4) .... He is keen on (5) .... and the family often (6) .... on their yacht, called (7) .... Cristina lives in (8) .... and not in the official residence known as (9) .... and described as (10) ....

In 1995 the eldest child (11) .... got married to (12) .... The wedding took place in (13) .... There were (14) .... guests at the wedding. This was the first royal wedding to take place in Spain since (15) ....

Many countries sent representatives, including: Belgium, Monaco, Sweden, Holland, Luxembourg, (16) ....

Thailand, UK, Liechtenstein, Bulgaria, (17) .... Denmark, Greece.

11 ¿Quién es?

NVQ Level: 2 L1.1

Lee otra vez el diálogo de la Actividad 8 en la página 183. Luego escucha las cinco introducciones personales, y completa el formulario en inglés con la información.

Por ejemplo:

Name	Nationality	Profession	Marital status	Home	Other information
1.Magda	Spanish	Shop worker Housewife	Married	England	Married to an Irish man
2. David					
3. Emma					
4. Miguel					
5. Carmen					

12 El árbol genealógico

NVQ Level: 2 L1.1

Escucha el diálogo y completa el árbol genealógico *(family tree)* con los nombres que faltan. **(Es Marta quien habla.)**

Por ejemplo:

13 La lista de los miembros de la familia

NVQ Level: 1 W1.1

Ahora escribe 'quién es quién' con relación a Marta.

Por ejemplo: Rosa es la abuela de Marta.

Rosa	Verónica
Jaime	Antonio
Ana	Sara y Clara
Juan	Javier y Arturo.

La pronunciación

Lee, escucha y repite.

s: This letter is pronounced halfway between the English *s* in *sister* and the sh in *shut*, never as a z.

soltera sal casada electricista es inglés salmón

x: This letter is pronounced as in English. However, you may sometimes hear it as an s, depending on regional variations.

¡Éxito! extra expreso extranjero explosión exposición

¡Estás en España!

14 El intercambio de estudiantes
The student exchange

NVQ Level: 2 S1.3

 Escribe

¡Por fin (*at last*) estás en España! Ahora puedes practicar el español.

(Follow the prompts on the recording.)

15 Un informe
A report

NVQ Level: 2 W1.1

Escucha otra vez 'El intercambio de estudiantes'. Imagina que eres el amigo/la amiga de Ramón. Ayer fue un día muy largo y divertido. Escribe un informe sobre tu primer día en España.

Por ejemplo: Llegué a Santander sin ningún problema. Ramón me recogió de la estación …

¿Éxito?

Objetivo

16 Éste es mi abuelo

NVQ Level: 2 S1.3

Imagina que estás comentando las fotos de los miembros de tu familia.

Por ejemplo: Éste es mi abuelo; es viejo. ¡Lleva bigote y es guapo!

Objetivo

17 Mi padre es ...

NVQ Level: 2 S1.3

Di lo que hacen los miembros de tu familia.

Por ejemplo: Mi padre es electricista.

¡Socorro!

◆ Before you go on to the next unit, be sure you can confidently describe members of your family, say what they do for a living and ask simple questions about other people's families. To refresh your memory on the verbs *ser* and *estar* look at *Unidad 2*, page 44 or the Grammar Summary, page 265. Look at *Unidad 5*, page 78 or the Grammar Summary, page 267 if you need to revise **éste/ésta/éstos/éstas**.

12 *unidad doce*

Las vacaciones

Holidays

Tus objetivos

1. Talking about past holidays

2. Describing places you have been to and things you have done recently

1 Talking about past holidays

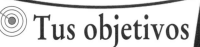 **Vacaciones en Méjico**   Holidays in Mexico

Lee, escucha y repite.

Ramón: ¡Hola, Fernando! ¿Qué tal?

Fernando: Bien, ¿y tú?

Ramón: Yo, muy bien. Acabo de organizar unas vacaciones en Méjico en la agencia de viajes.

Fernando: ¡Méjico! ¡Qué bien! ¿No fuiste allí el año pasado?

Ramón:	Sí, sí, hace un año – y lo pasé muy bien. Por eso quiero volver este año.
Fernando:	Sí, comprendo. ¿Adónde fuiste en Méjico?
Ramón:	Fui a Cancún y pasé unos días en la Ciudad de Méjico también.
Fernando:	¿Te quedaste en casa de alguna familia?
Ramón:	No, ¡Me quedé en dos hoteles de lujo!
Fernando:	¿Viajaste solo?
Ramón:	Mi amigo Juan vino conmigo.
Fernando:	¿Te gustó la comida mejicana?
Ramón:	Es picante pero sabrosa, ¿sabes? Y tú Fernando, ¿adónde fuiste de vacaciones el año pasado?
Fernando:	A la playa como siempre, con mi familia. Fuimos a Cambrils en la Costa Dorada. Tenemos un apartamento allí.
Ramón:	¿Y pasaste quince días allí?
Fernando:	No, un mes entero.
Ramón:	¿Y no te aburriste?
Fernando:	¡Qué va! Salimos de excursión a varios pueblos y ciudades. Además, nuestros primos estuvieron en el piso de al lado.
Ramón:	¿No te gustaría variar un poco?
Fernando:	Quizás … algún día me gustaría ir contigo y con Paco. Es que hace tantos años que vamos allí, ¿sabes?

Palabra por palabra

acabo de	I have just	un mes entero	a whole month
hace un año	one year ago	aburrirse	to get bored
por eso	that is why	además	besides
pasé unos días	I spent some days	el piso	flat
de lujo	luxury	quizás	maybe, perhaps
picante	spicy	es que	the fact is that
sabroso	tasty	tantos años	so many years

Las frases clave

You have already come across **conmigo** and **contigo**. The **-migo** and **-tigo** endings are only used after the preposition **con**.

Normally, the pronouns following prepositions are as follows:

para **mí**	for **me**
para **ti**	for **you**
sin **él**, **ella**, **Vd**	without **him**, without **her**, without **you**
sin **nosotros**	without **us**
detrás de **vosotros**	behind **you**
con **ellos**, **ellas**, **Vds**	with **them/you**

2 Pronombres y preposiciones

Sustituye la palabra en paréntesis (*in brackets*) por el pronombre adecuado

Por ejemplo: **Para (Juan y yo) es imposible ir.**
Para nosotros es imposible ir.

1. Al lado de (Juan) hay una chica rubia.
2. Para (Javier y Jaime) dos cafés, por favor.
3. Quisiera salir con (tú).
4. ¿Por qué no vienes con (yo) esta tarde?
5. Esta tarde vamos al parque con (María).
6. ¿Para quién es el descafeinado? ¿Para (Vd)?

You saw the expression **acabo de** in the first dialogue:

Acabo de organizar unas vacaciones …

Now look at these sentences:

Acabo de ver a mi amigo.	I've just seen my friend.
Acabo de comer, gracias.	I've just eaten, thanks.
Acabamos de hablar con el director.	We have just spoken to the principal.

Acabar by itself means **to finish,** but followed by the preposition **de** it means *to have just done something.* Work out the other forms of **acabar de** (e.g. **acaba de** *she has just*), then try this activity:

3 Acabar de ...

Estudia los dibujos y escribe una frase en español usando el verbo *acabar de.*

Por ejemplo: **El hombre acaba de tomar un café.**

a.

b.

c.

CINE

d.

e.

f.

2 Describing places you have been to and things you have done

4 ¿Adónde vamos?

Adela:	Oye, Maite, ¿por qué no vamos de vacaciones juntas este verano?
Maite:	No lo sé. Siempre voy con mis padres y mis hermanos.
Adela:	Sí, pero ya eres mayor.
Maite:	Ya lo sé, pero tú no conoces a mis padres …
Adela:	Hay que dar el primer paso. ¿Adónde vamos? ¿Has viajado fuera de España?
Maite:	¿Yo? Nunca. Sólo he visitado pueblos y ciudades de España.
Adela:	¿No has viajado en avión entonces?
Maite:	No, nunca.
Adela:	¿Y no has visto las maravillas de Roma?
Maite:	No, no. Nunca.
Adela:	Pues, anímate. ¡Vamos a Roma!
Maite:	Pero no he dicho nada a mis padres.
Adela:	Mira. Tienes veinte años. Estudias mucho y tienes que ver el mundo.
Maite:	Pero si nunca he hecho una cosa así …
Adela:	Pues, por eso, precisamente.
Maite:	Vale, vale. Voy a hablar con mis padres. A ver si me dejan ir contigo …

Palabra por palabra

juntas	together	las maravillas	the wonders
ya lo sé	I know (that)	anímate!	cheer up!
dar el primer paso	to take the first step	no he dicho	I have not said
¿has viajado?	have you travelled?	nunca he hecho	I have never done
fuera de España	outside Spain	a ver	let's see/I wonder if …
sólo he visitado	I've only visited	dejar	to allow, to let
¿y no has visto …?	and haven't you seen …?		

Las frases clave

Estudia otra vez estas frases:

¿Has viajado fuera de España?   Have you travelled outside Spain?
Sólo **he visitado** pueblos y   I've only visited towns and cities
ciudades de España.   in Spain.

¿No **has viajado** en avión entonces?	You haven't travelled by plane, then?
¿Y **no has visto** las maravillas de Roma?	And haven't you seen the marvels of Rome?
No he dicho nada en casa.	I haven't said anything at home.
Nunca he hecho una cosa así.	I've never done anything like that.

These sentences contain the perfect tense, a past tense which broadly speaking corresponds to the English *to have done something*. It is also used to describe actions that have happened very recently, normally within the context of today, this week, this month.

The perfect tense is made up of two components: the verb **haber** and the *past participle*. **Haber** is an auxiliary verb whose function is to help make another tense. It translates as *to have* in English, but not in the sense of *to own* – for that we use **tener**. This is the present tense of **haber**:

yo **he**
tú **has**
él, ella, Vd **ha**
nosotros **hemos**
vosotros **habéis**
ellos, ellas, Vds **han**

The past participle is the second component, and corresponds to the English *seen, done, been, had, lived*, etc. To form the past participle of regular verbs, you add **-ado** to the stem of **-ar** verbs, e.g. **hablar** – habl*ado*, and **-ido** to the stem of *-er* and *-ir* verbs, e.g. **comer** – com*ido*; **vivir** – viv*ido*.

Learn these irregular past participles you have just met:

ver **visto**   decir **dicho**   hacer **hecho**

You will remember two of them by learning this saying:

¡Dicho y hecho!   No sooner said than done!

For a complete list of the irregular past participles see the Grammar Summary, page 263.

 **5 ¡Perfecto!**   Pon el infinitivo en paréntesis en la forma correcta.

Por ejemplo: No he (salir) de España nunca.   No he salido de España nunca.

1. Hoy mi padre ha (comprar) un coche nuevo.
2. Esta mañana hemos (ver) a mi tía.
3. Maite ha (coger) el tren a las dos.

En estas frases utiliza *haber* en la forma correcta:

4. Fernando y yo (haber) desayunado ya.
5. ¿(Haber) estado (tú) en Japón?
6. Maria (haber) ido en coche hoy.

You have also seen how to say *ago*:

Sí, **hace un año**.   Yes, a year ago.

Hace with a time phrase corresponds to *ago* in English. Here's an activity to help you say how long ago something happened.

6 Hace mucho tiempo   Escribe la frase en paréntesis usando la expresión *hace* ...

Por ejemplo: Hoy es el 28 de julio. Le vimos (el día 21 de julio).
Hoy es el 28 de julio. Le vimos hace una semana.

1. Hoy es viernes. Juan me llamó (el miércoles).
2. (El año pasado) fui a Madrid.
3. (El mes pasado) celebré mi cumpleaños.
4. Volvimos de Mallorca (la semana pasada).
5. Estamos en mayo. (En abril) compramos un coche.

7 Hace un año que ...   You can also use **hace** to say how long it is since something happened or for how long something has been happening:

¡Hola, Juan! **Hace** tanto tiempo **que no te he visto**!   Hi John! It's been so long since I saw you.

Hace tantos años **que vamos** allí.   We've been going there for so many years.

Escribe estas frases en inglés:

1. Hace un año que vivo aquí.
2. Hace mucho tiempo que no he visto a María.
3. ¿Hace cuánto tiempo que trabajas aquí?
4. Hace dos años que estudio el español.

 Lectura

"Quien no ha visto Sevilla
no ha visto maravilla …
Quien no ha visto Granada
no ha visto nada."

El Patio de los Leones
en la Alhambra,
Granada, y La
Giralda, Sevilla

8 Asuntos de corazón
Matters of the heart

NVQ Level: 2 R1.1

Lee varias veces la carta de una joven a una revista (magazine) y la respuesta que recibe. Luego, di si las frases son verdaderas o falsas.

Querida Pili:

Necesito ayuda. Estoy desesperada. Hace un año empecé a salir con Javier. Hemos sido siempre inseparables. Ahora todo ha cambiado. Sin explicarme por qué, me ha dicho que no quiere continuar como novio mío – sólo como amigo. He pasado un mes fatal – no he podido dormir; no he podido concentrar en mis estudios; no he comido y lo peor de todo es que no hemos hablado del problema. Esta situación es intolerable. ¿Qué me dices?

Julia (18 años).

Querida Julia:

Anímate. ¡Eres muy joven todavía! Este novio tuyo es joven también, ¿no? Pues entonces es posible que él quisiera tener más libertad. Es importante dejarle respirar.

Si él quiere ser amigo tuyo acéptale como tal. Los amigos son muy importantes en la vida. Tú también debes salir con otros amigos y amigas. Él te ha hecho sufrir bastante, ¡pero no quiere abandonarte! Aprende a apreciar los momentos que estás con él y aprende a vivir la vida. El tiempo cura todo. Ten paciencia.

Pili.

Escribe Verdadero o Falso:

1. Julia no quiere salir con Javier.
2. Julia no ha podido estudiar.
3. Los novios han hablado del problema.
4. Javier y Julia se han separado hace un año.
5. Pili piensa que Julia debe salir más.
6. Pili pensa que Julia no ha sufrido lo suficiente.

La vida hispánica

Las Vacaciones

The notion of going away on holiday is a relatively recent one for the majority of Spaniards. Those who knew austerity in post-Civil War Spain did not have the financial resources to have holidays away from home. Before Spain's late industrial revolution and mass exodus from the country to the town, the majority of Spain's agricultural workers contented themselves with their local **fiestas** and **romerías** (*pilgrimages*). Holidays were for the aristocracy, who could take themselves away to the more northern, cooler seaside towns such as San Sebastián.

In the 1960s and 70s, many Spanish workers emigrated to different countries and started to come back to Spain for their holidays. By the 1970s, and particularly after the death of Franco, more and more Spaniards acquired the means to travel abroad. Interestingly, many Spaniards have opted for holidays within Spain – and not necessarily the typical beach holiday. People are starting to explore the less commercially exploited corners of Spain, far from the crowds. Many Spaniards have taken up **senderismo** – walking holidays in the country's mountainous areas like the Pyrenees and the Picos de Europa.

In the 1950s and 60s the rural exodus meant many villages in far flung corners of Spain became virtually abandoned, save for very old people. Now the next generation have taken it upon themselves to refurbish their old village homes and they spend their holidays there, enjoying the freedom and tranquility of life away from the big city.

 **Escucha**

9 Buenas noticias y malas noticias
Good news and bad news

NVQ Level: 2 L1.1

Escucha lo que dice el Sr Sánchez cuando habla de su día. Contesta las preguntas en español.

1. ¿A qué hora se ha levantado hoy el Sr Sánchez?
2. ¿Por qué ha puesto la radio?
3. ¿De qué ha hablado el locutor de la radio?
4. ¿Qué quiere hacer la mujer del Sr Sánchez?
5. ¿Por qué no quiere ir al colegio su hijo?
6. ¿Cuántos años tiene su hija?
7. ¿Cuál ha sido la noticia buena del día?

10 ¿Lo has hecho o no?
Have you done it or not?

NVQ Level: 2 L1.2

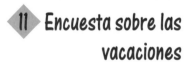

Escribe dos listas en inglés: las actividades de Juan y las de su madre.

Por ejemplo: <u>Juan</u>   <u>Juan's Mother</u>

       Cleaned shoes …

¡Estás en España!

11 Encuesta sobre las vacaciones

 NVQ Level: 2 S1.3

Imagina que eres un estudiante inglés en España. Tu profesor te ha recomendado que preguntes a otros jóvenes españoles detalles sobre sus vacaciones. Prepara una lista de 10 preguntas. Usa el perfecto. Empieza así:

1. ¿Has salido de España alguna vez?

* unos verbos útiles: visitar; viajar; quedarse; ir; pasar; conocer, ver; practicar

12 Este año

 NVQ Level: 2 W1.1

Escribe una lista de 10 cosas significantes que has hecho este año.

Por ejemplo: 1. He empezado clases de español.

La pronunciación

¿Sufres del estrés?

By now you are probably intuitively using the rules of stress in Spanish. Nonetheless, it is useful to know just how the rules work.

In words ending in a vowel the *next-to-last* (penultimate) syllable is stressed. For example: **ven/ta/na**. This word consists of three syllables and the stress falls on the **/ta/**.

Words ending in **-s** behave as if they ended in a vowel, e.g. **ventana – ventanas**; the stress falls on the first **a** in both cases.

Similarly, words ending in **-n** behave as if they ended in a vowel, and the stress again falls on the penultimate syllable. Think of all the verb endings in the present tense which go with **ellos, ellas, Vds**. For example: **hablan, comen, dicen**.

Where a word ends in a consonant (other than -n or -s) the rule is that the stress falls on the last syllable. For example: **hablar, animal, Madrid**.

Where the stress does not follow these rules, it is indicated with an accent. For example **relámpago; Méjico; música; magnífico**.

Look at the following words and try to anticipate how they will sound before you hear them on the tape, then repeat them.

rápido; hablar; espléndido; ciudad; fantástico; especial; autobús; fenomenal; vídeo; motocicleta; hospital; orden, camisetas

¿Éxito?

Objetivo

13 El año pasado

NVQ Level: 2 W1.1

¿Puedes escribir sobre tus vacaciones pasadas? Inventa frases; usa el pretérito y basa tus frases en estas palabras clave:

en avión; Grecia; mis amigos y yo; hotel de lujo; playa; pasar 15 días; beber vino; comer mucho; salir de excursión; conocer a muchas personas.

Por ejemplo: El año pasado fui en avión …

Objetivo

14 Recientemente

NVQ Level: 2 W1.1

¿Puedes escribir sobre lo que tú y tu amigo habéis hecho recientemente? Haz unas seis frases.

Por ejemplo: Mi amigo y yo hemos ido al cine.

15 En la última hora

NVQ Level: S1.1

Di lo que acabas de hacer en la última hora.

Por ejemplo: entrar en casa – Acabo de entrar en casa.

1. Volver a casa
2. Poner la radio ... etc.

A ver si entiendes este poema.

> ### Rima
>
> Hoy la tierra y los cielos me sonríen,
> Hoy llega al fondo de mi alma el sol,
> Hoy la he visto ... la he visto
> y me ha mirado
> ¡Hoy creo en Dios!
>
> *Gustavo Adolfo Bécquer 1836–1870*

¡Socorro!

◆ For more practice on the rules of stress, listen to one or two earlier dialogues in the book, looking out specifically for the natural stress pattern of the language. Think first about each line and then listen carefully to what the native speaker says.

◆ To ensure that you can remember and use irregular past participles correctly, consult the Grammar Section, page 263. Now test yourself by writing the irregular past participle of these verbs:

poner, ver, romper, decir, hacer, morir, abrir, cubrir, escribir, volver.

◆ If you need more help with **hace** *ago*, write some sentences beginning **Hace una semana/Hace un mes/Hace un año/Hace dos años.** For example: **Hace un mes empecé a estudiar el español.**

Unidades 10, 11, y 12

Repaso 4

1 **¡Gracias por el regalo!**

NVQ Level: 1 R1.2

Recibes estos regalos. ¿Dices ¡Muchas gracias! o ¡No, gracias!?

Por ejemplo: Un par de zapatos número 58: ¡No, gracias!

1. Una chaqueta de piel.
2. Un bikini rosa.
3. Una botella de vino tinto.
4. Unos vaqueros amarillos.
5. Un reloj que no funciona.
6. Un cinturón marrón.
7. Una cartera con cinco mil pesetas.
8. Unas vacaciones en Méjico.
9. Una pequeña lata de sardinas.
10. Una copia de *Éxito 2*.

2 **Hice unas visitas**

NVQ Level: 1 S1.2

¿Necesitas usar *a* o no? Di que visitaste estos lugares o a estas personas.

Por ejemplo: Visité Madrid. Visité a Manuel.

a   b   c

d   e   f

3 **Durante el año pasado ...**

NVQ Level: 1 S1.2

¿Has hecho estas cosas? ¡Di la verdad!

Por ejemplo: **Durante el año pasado, ¿has estudiado el español?**

Sí, he estudiado ¡Éxito!

1. ¿Has visitado España?
2. ¿Has comido en un restaurante español?
3. ¿Has comprado unos vaqueros azules?
4. ¿Has hecho un viaje muy largo?
5. ¿Has escrito una carta a un miembro de tu familia?
6. ¿Has dado un regalo a un(a) amigo(-a)?
7. ¿Has ido de vacaciones?
8. ¿Has visto una buena película?
9. ¿Has viajado en avión?
10. ¿Has ido a un teatro o a un concierto?

4 **Escucha las quejas**
Listen to the complaints

Escucha lo que dice Elena. Compró seis regalos para seis miembros de su familia y para ella misma, ¡y cada persona tiene una queja! Escribe en el cuadro la persona, el regalo y la queja.

NVQ Level: 2 L1.1

Por ejemplo:

	Persona	Regalo	Queja
1	Su hermana	Un bañador	El color
2			
3			
4			
5			
6			
7			

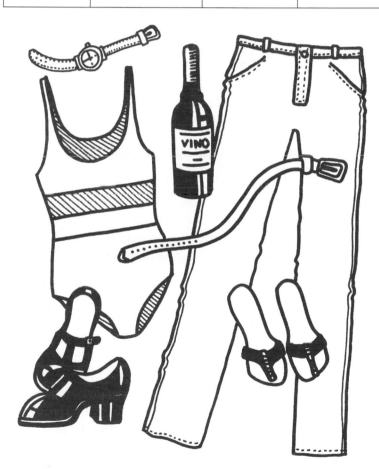

5 El viaje

NVQ Level: 2 W1.1

Before doing this activity, revise the preterite tense (Grammar Summary, pages 262–263), especially the third person plural (*they*) forms. You will then be able to describe Pablo and Luisa's journey.

Describe el viaje de Pablo y de Luisa. Escribe unas 100 palabras.

Por ejemplo:

El doce de enero Pablo y Luisa fueron a la agencia de viajes …

13 *unidad trece*

Mi casa
My home

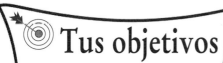
1 Talking about the area you come from

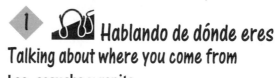

1 Hablando de dónde eres
Talking about where you come from

Lee, escucha y repite.

Sara: Hablas el español muy bien, Andrew. ¿Dónde lo estudias?

Andrew: Lo estudio en la universidad de Edimburgo, en Escocia.

Sara: ¿Eres escocés?

Andrew: Sí, soy de Glasgow. ¿Y tú eres catalana como Marta?

Sara: Sí, nací en Barcelona.

Andrew: ¿Hablas catalán?

Sara: Sí, claro, lo hablo con mi familia y mis amigos de Cataluña.

Andrew: ¿Toda tu familia es catalana?

Sara: No, mi padre es asturiano; es de Asturias. Y tengo un tío madrileño, él es de Madrid. ¿Has viajado mucho por España?

Andrew: Pues sí, he vivido en Madrid durante un año y he visitado Extremadura, Andalucía, Valencia …

Sara: ¡Huy, me encanta Andalucía! Mi novio es andaluz; es de Granada. ¿Fuiste a Granada?

Andrew: Sí, y también visité Málaga, Sevilla y Córdoba. ¡Qué ciudades! ¡Son maravillosas!

Sara:	Y ahora. ¿Qué plan tienes?
Andrew:	Ahora me quedaré aquí en Barcelona durante todo el mes de junio.
Sara:	¿Dónde vivirás?
Andrew:	Viviré con la familia de Marta y visitaré a Carmen en Menorca.
Sara:	Y al final del mes, ¿regresarás a Escocia?
Andrew:	¡No! en julio iré a Galicia y estaré allí una semana. También iré al País Vasco y desde allí regresaré a Escocia.
Sara:	¿Regresarás en barco?
Andrew:	No, cogeré el avión de Bilbao a Glasgow. En Glasgow tendré que coger un bus para ir a casa.
Sara:	Y si no hay bus, ¿qué harás?
Andrew:	¡Claro que habrá bus! Pero si no hay, llamaré a mi madre y ella vendrá con el coche.

Palabra por palabra

Edimburgo	Edinburgh	madrileño	a person from Madrid
Escocia	Scotland		
escocés	Scottish	andaluz	a person from Andalusia
catalán	language of Catalonia		
		me quedaré	I will stay
Cataluña	Catalonia (a NE region of Spain)	regresaré	I will return
		cogeré	I will catch
asturiano	a person from Asturias	el barco	ship
		vendrá	she will come

2 ¿Conoces España?

Mira el mapa de España e identifica las ciudades y regiones que oyes en el diálogo de Actividad 1.

Las frases clave	

Me quedaré en Barcelona durante todo el mes de junio.
Viviré con la familia de Marta.
Cogeré el avion de Bilbao a Glasgow.

I will stay in Barcelona during the whole month of June.
I will live with Marta's family.
I will catch the plane from Bilbao to Glasgow.

So far we have used **ir + a** to express the future tense. (See *Unidad 6* to revise this.) In this dialogue you have seen and heard how to use the future tense. You simply add **-é, -ás, -á, -emos, -éis, -án,** to the end of the infinitive. It is the same for **ar, er,** and **ir** verbs.

For example: *regresar* to return *regresar**é***
comer to eat *comer**é***
vivir to live *vivir**é***

3 ¡Qué será será!   Lee estas frases y cámbialas del ir + a al futuro.

Por ejemplo: Dolores va a visitar a la familia de Pierre.
Dolores visitará a la familia de Pierre.

1. Voy a estudiar español.
2. El domingo vamos a ir a la playa.
3. Mis amigos van a organizar una fiesta.
4. ¿Tú vas a ir a la fiesta?
5. Juan va a volar con Iberia.
6. ¿Cuántos días vais a estar en Cuba?

There are a handful of verbs that have irregular futures; try to learn them by making your own sentences

Hacer	to do	¿Qué **harás**?	What will you do?
Tener	to have	**Tendré** que coger un bus.	I will have to catch a bus.
Venir	to come	Ella **vendrá** con el coche.	She will come with the car.

Note that it is the infinitive of the verb that changes, not the endings. Here are some more irregular verbs in the future tense:

decir	to say	**diré** etc.	*poner* to put	**pondré** etc.
saber	to know	**sabré** etc.	*poder* to be able to	**podré** etc.
querer	to want	**querré** etc.	*salir* to go out	**saldré** etc.

Hay becomes *habrá.*

Por ejemplo: ¡Claro que **habrá** bus!   Of course there will be a bus!

For the complete list of these verbs see the Grammar Summary, pages 263–265.

4 ¿Qué harás?   Completa la historia. Pon los verbos en paréntesis en el futuro. ¡Todos los verbos son irregulares!

Por ejemplo: Mañana tendré tiempo libre y …

Mañana (tener) tiempo libre y (poder) ir a la playa con mis amigos. (Poner) la comida, la bebida y la radio en el coche y (salir) temprano. Susana y Alicia (venir) por la tarde, pero no sé que (hacer) Marina. Ella no (saber) si (tiene) que trabajar todo el día hasta más tarde. Me llamará esta noche y me lo (decir). ¡Todos nosotros (querer) quedarnos en la playa todo el día! (Hay) mucha gente y (hay) un ambiente divertido.

❷ Talking about the weather

5 Hablando del tiempo

¡Hace buen tiempo en Galicia?

Andrew:	Sara, dime. ¿Hace buen tiempo en Galicia?
Sara:	Hombre, pues … llueve mucho y no hace tanto calor. Es un clima húmedo, pero es una región muy bonita; es muy verde.
Andrew:	Aquí en Barcelona hace mucho calor. ¿Es normal?
Sara:	Sí, en verano es normal, pero lloverá más tarde. El pronóstico es que habrá una gran tormenta durante la noche con relámpagos y truenos.
Andrew:	¡Qué bien, refrescará y podré dormir!
Sara:	¿No te gusta el calor?
Andrew:	Sí, me encanta, ¡pero hoy hace demasiado!

Sara:	¿Qué tiempo hace en Glasgow?
Andrew:	¡Hace más frío que en Barcelona!
Sara:	¿Es verdad que llueve mucho y siempre está nublado?
Andrew:	Sí, en Glasgow es más normal ver nubes en el cielo, que ver el sol.
Sara:	¡Pero en verano hace sol! ¿Verdad?
Andrew:	Sí, ¡pero no está garantizado!
Sara:	¿Y en invierno?
Andrew:	¡Huy, en invierno! Pues hace mucho frío, hace viento y nieva.
Sara:	¿Y la famosa niebla inglesa?
Andrew:	Ahora la niebla no es normal en las ciudades, pero en el campo y en las montañas es un problema.
Sara:	¿Cuál es tu estación del año favorita?
Andrew:	A mí me encanta el otoño. ¿Y la tuya?
Sara:	La mía es la primavera.

Palabra por palabra

el clima	climate	la nube	cloud
húmedo	humid	el cielo	sky
la región	region	garantizado	guaranteed
el pronóstico	forecast	el invierno	winter
la tormenta	storm	hace viento	it is windy
el relámpago	lightning	nieva	it snows
el trueno	thunder	la niebla	fog
refrescará	it will get cooler	la estación del año	season
el calor	heat	el otoño	autumn
está nublado	it's cloudy	la primavera	spring

6 ► **Las estaciones del año**

Mira la sopa de letras. Busca los nombres de las cuatro estaciones del año, y cuatro tipos de tiempo.

summer, spring, autumn, winter, sun, wind, rain, heat, cold

I	S	P	X	V	Y
N	O	F	R	I	O
V	L	L	I	E	H
I	C	L	M	N	X
E	A	U	A	T	O
R	L	V	V	O	T
N	O	I	E	W	O
O	R	A	R	Z	Ñ
V	E	R	A	N	O

Las frases clave

El pronóstico no es bueno.   The forecast is not good.

Note the pattern for talking about the weather.

Por ejemplo: ¿**Hace** buen tiempo?   Is the weather good?

¡**Hace** mucho calor!   It's very hot!

En Glasgow **hace** frío en invierno.   In Glasgow it's cold in winter.

Hace viento.   It's windy.

Hace sol.   It's sunny.

The verb **llover** *to rain* and **nevar** *to snow* stand alone, and will normally be said as:

| **llueve** | it rains | or | **está lloviendo** | it is raining. |
| **nieva** | it snows | or | **está nevando** | it is snowing. |

Por ejemplo: En Galicia **llueve** mucho.   In Galicia it rains a lot.

Hoy **está lloviendo**.   Today it's raining.

En Glasgow **nieva** en invierno.   In Glasgow it snows in winter.

Está nevando en los Pirineos.   It's snowing in the Pyrenees.

Some other weather expressions are:

It's cloudy	**Está nublado.**
It's foggy	**Hay niebla.**
what a storm	**¡Qué tormenta!**

7 ¿Qué tiempo hace hoy?

Mira los dibujos y di qué tiempo hace.

Por ejemplo: 1. Hace sol.

8 **¿Qué tiempo hará el sabádo?**

Mira los dibujos otra vez y ahora di las frases en el futuro.

Por ejemplo: 1. Hará sol.

3 Talking about your home

9 Hablando de tu casa

Hola, Sara. Soy Andrew.

Sara:	¿Quién es?
Andrew:	¡Hola Sara, soy Andrew!
Sara:	¡Vale, mira Andrew, el ascensor no funciona!
Andrew:	¡Hola Sara!
Sara:	¡Hola, Andrew! Entra. Ven, mamá está en la cocina.
Mamá:	¡Hola, Andrew. ¿Qué tal?
Andrew:	¡Hola!
Sara:	Andrew, vamos al salón. Dime, ¿tú vives en una casa típica inglesa?
Andrew:	Sí, es una casa de dos pisos con garaje y jardín.
Sara:	¡Qué bonita! ¿Cuántos dormitorios tiene?

Andrew:	Pues … es una casa bastante grande, tiene cuatro dormitorios y dos cuartos de baño arriba. Y abajo hay el salón, el comedor y la cocina, y un aseo.
Sara:	¿Vives en el centro de la ciudad?
Andrew:	No. Vivimos en las afueras, es más tranquilo.
Sara:	Bueno, aquí ya sabes que vivimos en pisos …
Andrew:	Pero ahora hay mucha gente en España que también vive en las afueras.
Sara:	Sí, es verdad. Gracias a los coches y a las nuevas carreteras y autopistas, ahora mucha gente vive en nuevas viviendas, al estilo inglés.
Andrew:	¡Pero hay una gran diferencia!
Sara:	¡Ah, sí! ¿Cuál?
Andrew:	¡Estas nuevas viviendas están edificadas alrededor de una piscina!
Sara:	¡Y un parque infantil con columpios y tobogán!
Andrew:	¡Y pistas de tenis y campos de golf!
Sara:	¡Cómo viven los ricos!

Palabra por palabra

la cocina	kitchen	las afueras	suburb
el piso	storey; flat	la carretera	road (for traffic)
el garaje	garage	la autopista	motorway
el dormitorio	bedroom	la vivienda	housing
el cuarto de baño	bathroom	edificadas	built
		alrededor	around
arriba	upstairs	los columpios	swings
abajo	downstairs	el tobogán	slide
el comedor	dinning room	¡cómo viven los ricos!	how the rich live!
el aseo	cloakroom		

Las frases clave

Mamá está en la **cocina**.	Mum is in the kitchen.
Vamos al **salón**.	Let's go to the sitting room.
una casa **típica**	a traditional house
una casa **de dos pisos**	a two-storey house
Tiene tres **dormitorios** y un **cuarto de baño**.	It has three bedrooms and a bathroom.
Hay el **salón**, el **comedor**, la **cocina** y el **aseo**.	There is the lounge, the dining room, the kitchen and the cloakroom.
Hay un **parque infantil** con **columpios** y un **tobogán**.	There's a children's playground with swings and a slide.

10 El piso de Sara

NVQ Level: 1 F1.2

Mira el plano del piso, e identifica cada habitación con su nombre.

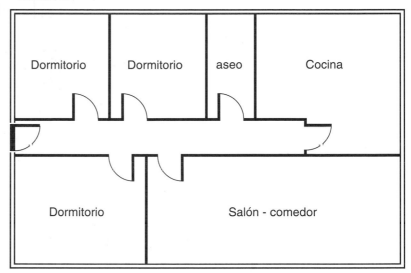

| Dormitorio | Dormitorio | aseo | Cocina |
| Dormitorio | | Salón - comedor | |

Ahora describe el piso.

Por ejemplo: El piso de Sara tiene tres dormitorios …

11 La casa de Andrew

NVQ Level: 1 W1.1, 2 S1.2

Mira el plano de la casa de Andrew y escribe los nombres de las diferentes habitaciones y otras partes de la casa.

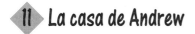

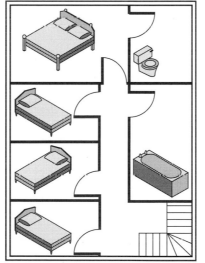
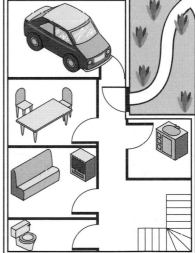

Ahora describe la casa.

Por ejemplo: La casa de Andrew es de dos pisos. Arriba tiene …

Ahora describe tu casa.

La vida hispánica

Las regiones de España y los países de Latinoamérica

The Iberian Peninsula (**Península Ibérica**) is made up of two countries: Portugal and Spain. Spain consists of 17 regions called **comunidades autónomas**, each with its own capital and with its own local goverment. Each region has the freedom to run its own affairs, subject to the approval of the central administration. In three regions they have their own languages: **catalán** in Cataluña, **gallego** in Galicia and **vascuence** in the País Vasco (the Basque country). However, the official national language is **castellano** or Spanish.

Central and South America cover thousands of miles and are populated by a rich cultural mix of indigenous peoples and immigrants. In Central America Spanish is spoken in six countries: Mexico, Guatemala, El Salvador, Nicaragua, Costa Rica, and Panama. It is also spoken on three Caribbean Islands: Cuba, Dominican Republic, Puerto Rico, as well as in Honduras, where both English and Spanish are spoken.

South America has nine Spanish-speaking countries: Venezuela, Columbia, Ecuador, Peru, Bolivia, Chile, Paraguay, Uruguay, and Argentina. Each country has something marvellous to offer: beaches, jungles, rivers, waterfalls, rainforests and tropical islands.

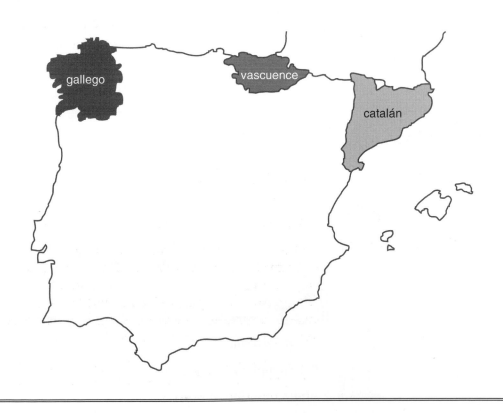

 **¡Canción de Las Américas!**

Listen to the song. See if you can identify each country and number it on the map in the order in which you hear it.

Escucha la canción y identifiqua cada país en orden:

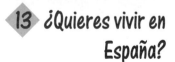

Lectura

 **¿Quieres vivir en España?**

NVQ Level: 2 R1.1

Lee la siguiente información sobre unas viviendas y contesta las preguntas en inglés.

Glossary: parcela   plot of land   tamaño   size

En España hay viviendas para todos los gustos. La casa de la foto está situada en una parcela de 1.200 metros cuadrados, junto a una reserva natural y campos de golf. La casa tiene cuatro dormitorios, un amplio salón, un comedor, dos cuartos de baño, un aseo, una cocina totalmente equipada, porche y terraza, garaje para dos vehículos y un jardín grande con pinar.

Los apartamentos, situados en el puerto deportivo, construidos con gran calidad y todos con vistas magníficas al mar Mediterráneo, se ofrecen con:

1. un dormitorio, un cuarto de baño, salón-comedor, cocina equipada y terraza.
2. dos dormitorios, cuarto de baño, aseo, salón-comedor, cocina equipada y terraza.
3. tres dormitorios, dos cuartos de baño, aseo, salón, comedor, cocina equipada y terraza doble.

Todos los apartamentos tienen zona de parking privado subterráneo vigilado por cámaras de seguridad 24 h por día.

Estas viviendas son el lugar ideal de residencia, la zona tiene una buena infraestructura urbanística, con excelentes carreteras, autopistas y transportes públicos. Están cerca de un elegante centro comercial y de todo tipo de servicios.

1. ¿De qué tamaño es la parcela de la casa?
2. ¿Qué hay junto a la casa?
3. ¿Cómo es el jardín?
4. ¿Dónde están los apartamentos?
5. ¿Son iguales todos los apartamentos?
6. ¿Dónde aparcan los residentes?
7. ¿Cómo está vigilado el parking?
8. ¿Qué ofrece esta zona a los residentes de las viviendas?

 Escucha

14 ¿Dónde vive Marisa?

Transcripciones

NVQ Level: 2 L1.1

Escucha la conversación entre los amigos, y contesta las preguntas en español.

1. ¿Dónde vive Marisa?
2. ¿Qué tipo de vivienda tienen sus padres en la costa?
3. ¿Qué vista hay?

4. ¿Qué hay para practicar deporte?
5. ¿Marisa vive allí todo el año?
6. ¿Es fácil o difícil vivir en la costa y trabajar en la ciudad?
7. ¿Por qué?
8. ¿Por qué dice '¡Fantástico!' el chico?
9. ¿Es verdad?
10. ¿Qué quiere hacer la otra chica?

15 ¿Qué tiempo hará el fin de semana?

NVQ Level: 2 L1.2

Tú y tus amigos de Glasgow estáis en España. Mañana queréis ir de camping. Escucha la información del centro de información del tiempo y escribe el pronóstico en inglés para tus amigos.

Por ejemplo: *Galicia and the whole of the north will have rain …*

La pronunciación

Words which are used to ask questions are always written with an accent on the stressed vowel: **¿Dónde?, ¿Cuánto/a/os/as?, ¿Cuándo?, ¿Quién?** (For more information about interrogatives see *Unidad 9* page 153.)

Accents are also used to distinguish between words which are spelt the same but have different meanings. This does not affect the pronunciation:

Meaning with accent		Meaning without accent	
sí	yes	si	if
mí	me	mi	my
tú	you	tu	your
sólo	only	solo	alone
té	tea	te	reflexive pronoun
sé	I know	se	reflexive pronoun
más	more	mas	but
dé	give (imperative)	de	of

¡Estás en España!

16 Charlando en la fiesta

NVQ Level: 2 L1.3

Durante tus vacaciones en España vas a la fiesta de un amigo español, allí tienes la oportunidad de charlar mucho. (*Follow the prompts on the tape*).

Escribe

17 Se vende

NVQ Level: 2 W1.2

Tienes una casa en España y quieres venderla. Pon un anuncio en el periódico.

Por ejemplo: Se vende, casa de dos pisos …

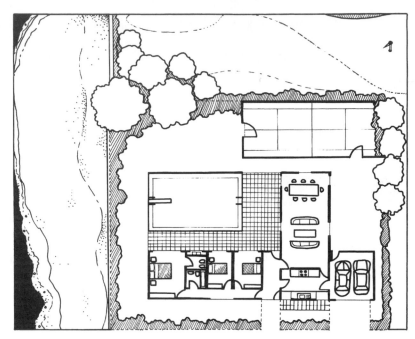

¿Éxito?

Objetivo

18 ¿De dónde son tus amigos?

NVQ Level: 1 S1.2

Di de dónde son tus amigos(as)

Por ejemplo: Mi amiga Karen es de Londres.

Objetivo

19 Tu pronóstico

NVQ Level: 1 W1.2

Escribe una descripción del tiempo de hoy, y del tiempo que hará mañana.

Por ejemplo: Hoy hace bastante frío y … Mañana hará más calor y …

Objetivo 3 ✓

20 ▸ Mi casa ideal

NVQ Level: 2 S1.3

Describe la casa de tus sueños (*dreams*). **Utiliza el futuro.**

Por ejemplo: Compraré una casa muy grande …

¡Socorro!

◆ ¿Sabes decir de dónde son las personas? Mira la página 205 y di de dónde son tus amigos(as).
Por ejemplo: Mi amiga Mary es de Irlanda.

◆ ¿Sabes describir el tiempo? Mira página 210 y describe el tiempo en este momento.

Por ejemplo: En este momento hace bastante frío…

◆ ¿Sabes describir las casas? Mira página 212 y describe tu casa.
Por ejemplo: Mi casa es una típica casa inglesa…

14 *unidad catorce*

En una casa española

In a Spanish house

Tus objetivos

1. Talking about differences between English and Spanish homes

2. Finding out about how life was for older generations

3. Comparing adulthood and childhood

1 Talking about differences between English and Spanish homes

 **¡Estás en tu casa!** *Make yourself at home!*

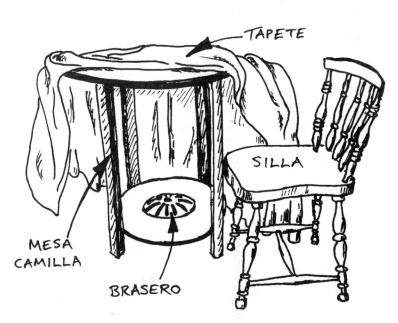

Lee, escucha y repite.

Robert: Esta casa es muy bonita. Me encanta.

Sra Rodríguez: ¿Sí? gracias, Robert. ¿Es muy diferente de tu casa?

Robert:	Bueno, lo que es diferente es que nosotros vivimos en una casa tipo chalet.
Sra Rodríguez:	¿Ah sí?
Robert:	Sí, y luego en la mayoría de las casas inglesas tenemos moquetas y no baldosas en el suelo.
Sra Rodríguez:	Aquí nos morimos de calor en el verano; con moquetas sería inaguantable.
Robert:	Sí, sí, comprendo. Otra cosa que diferencia esta casa es que en Inglaterra no solemos tener terraza.
Sra Rodríguez:	¿No? Pues, a mí me encanta mi terraza. Me gusta cultivar geranios y otras flores en las macetas y tomar el fresco.
Robert:	Pues, para eso mis padres tienen el jardín.
Sra Rodríguez:	Sí, sí, es verdad.
Robert:	Otra cosa diferente es que aquí tenéis persianas en las ventanas – nosotros sólo tenemos cortinas.
Sra Rodríguez:	Pero, ¿no entra el sol por las cortinas por la mañana? A mí eso me molesta mucho.
Robert:	Es que estamos acostumbrados. A propósito, ¿para qué sirve esa mesa redonda, con cuatro sillas?
Sra Rodríguez:	Para calentarse los pies en el invierno.
Robert:	No entiendo.
Sra Rodríguez:	Es que por debajo hay una estufa eléctrica.
Robert:	¡Qué curioso! ¿Cómo se llama?
Sra Rodríguez:	Es una mesa camilla; es típica de las casas españolas.

Palabra por palabra

tipo chalet	detached house	las persianas	blinds
las moquetas	fitted carpets	las cortinas	curtains
las baldosas	floor tiles	molestar	to bother, annoy
el suelo	floor	acostumbrado	used to
inaguantable	unbearable	a propósito	by the way
diferenciar	to differentiate	¿para qué sirve?	what's it for?
cultivar	to grow (fruit, flowers, vegetables etc)	la mesa	table
		redondo	round
		la silla	chair
los geranios	geraniums	calentar(se)	to heat, warm up
las macetas	flower pots	la estufa	stove
tomar el fresco	to get fresh air		

Las frases clave

¿Para qué sirve esa mesa redonda?	What's that round table for?
Para calentarse los pies.	To warm your feet.

2 ¿Para qué sirve?

Estudia las preguntas y las respuestas y emparéjalas.

1. ¿Para qué sirve esta llave?
2. ¿Para qué sirve una terraza?
3. ¿Para qué sirven las persianas?
4. ¿Para qué sirve la moqueta?
5. ¿Para qué sirve esa puerta?
6. ¿Para qué sirve esa maceta?

a. Para quitar el sol.
b. Para cubrir el suelo.
c. Para salir a la terraza.
d. Para tomar el fresco.
e. Para meter flores.
f. Para abrir la puerta de la calle.

3 Una casa española/Inglesa

Estudia las siguientes palabras. Divídelas en dos categorías:

A: una casa española   **B**: una casa inglesa

terraza   persianas   jardín   baldosas   cortinas
mesa camilla   moquetas

2 Finding out about how life was for older generations

4 La nueva casa de Piluca

Lee, escucha y repite.

Piluca: ¿Te gusta nuestro piso, abuela?

Abuela: ¡Chica! Parece de ensueño.

Piluca: ¿A qué sí? Pepe y yo hemos trabajado mucho para poder vivir aquí.

Abuela: ¿Ya habéis comprado el piso?

Piluca: No, abuelita, tenemos una hipoteca. Primero pagamos una entrada y luego pagamos cada mes.

Abuela: Oye, cuando yo me casé hace más de cincuenta años, vivía con mis suegros en el pueblo. Entonces no teníamos ni electricidad ni agua corriente ni cuarto de baño …

Piluca: Eran tiempos más duros, ¿verdad, abuela?

Abuela: Sí, pero felices también. No teníamos las comodidades que hay hoy en día … pero … no sé … la vida era menos complicada, creo, aunque la mujer trabajaba mucho más en casa …

Piluca: Ven, abuela. Ésta es la cocina. ¿Qué te parece?

Abuela: ¡Qué moderna! Cuando entré no esperaba tantos aparatos domésticos. ¿Qué es esto?

Piluca: Es la nevera.
Abuela: ¿Y esto, qué es?
Piluca: Un lavaplatos, abuela.
Abuela: Un lavaplatos. ¡Vaya por Diós! Y aquella máquina, ¿qué es?
Piluca: Es un microondas para calentar la comida en minutos.
Abuela: Pero, ¡cuánta prisa tenéis los jóvenes hoy!

Palabra por palabra

de ensueño	of one's dreams	complicado	complicated
¿a qué sí?	isn't it?	aunque	although
la hipoteca	mortgage	los aparatos domésticos	domestic appliances
los suegros	in-laws	la nevera	fridge
el agua corriente	running water	el lavaplatos	dishwasher
duro	hard	¡vaya por Dios!	good heavens!
las comodidades	facilities, comforts	la máquina	machine
hoy en día	nowadays	el microondas	microwave
		la entrada	deposit

Las frases clave

Vivía con mis suegros. — I lived with my in-laws
No **teníamos** ni electricidad. — We didn't even have electricity.
Eran tiempos más duros, ¿verdad, abuela? — They were harder times weren't they, Gran?
Aunque la mujer **trabajaba** mucho más en casa — Even though the woman worked a lot more at home.

These are examples of the imperfect tense.

The imperfect tense has three main functions:
1. To describe an ongoing action in the past, e.g.

Cruzaba la calle.   I was crossing the road

2. To describe what you used to do often, e.g.

Cuando **tenía** 12 años **me**   When I was 12 years old I used to
acostaba a las 9.30.   go bed at 9.30.

3. To set the scene, i.e. a descriptive use:

Era un hombre alto que **llevaba**   He was a tall man who was
un traje marrón.   wearing a brown suit.

To form the imperfect tense: for **-ar** verbs you add these endings to the stem of the verb:

-aba, **-abas**, **-aba**, **-ábamos**, **-abais**, **-aban**

and for **-er** and **-ir** verbs add:

-ía, **-ías**, **-ía**, **-íamos**, **-íais**, **-ían**

Only two verbs are irregular in the imperfect:

1. **ser** *to be*:   era, eras, era, éramos, erais, eran
2. **ir** *to go*:   iba, ibas, iba, íbamos, ibais, iban

* Note also that the imperfect of **hay** is **había** *there was* or *there were*.

You will find in some instances both the imperfect and the preterite in the same sentence, e.g.

a.   Cuando **entré** no **esperaba** tantos aparatos eléctricos.
b.   Pablo **leía** el periódico cuando **sonó** el teléfono.

One action, for example **entré**, is a single, completed action. The other is ongoing, over a longer period.

5 **¿Pretérito o imperfecto?**

Estudia estas frases. Pon el verbo en paréntesis en la forma apropiada. ¡Cuidado! Algunos verbos necesitan el imperfecto y otros necesitan el pretérito.

1. Cuando yo (ser) joven (vivir) en una casa en el campo.
2. El hombre (leer) el periódico cuando (llamar) su amigo.
3. Todos los días del verano pasado nosotros (ir) a la playa.
4. (Ser) las once de la nocha cuando (volver) Juan.
5. En los años '70 mi padre (trabajar) en un banco.
6. La chica (ser) rubia. Ella (tener) los ojos azules.

3 Comparing adulthood and childhood

 **6 ▶ Antes y ahora**
Then and now

Lee, escucha y repite.

Lourdes: ¿Hace mucho tiempo que vives aquí, María Luz?

María Luz: Unos 7 años, más o menos.

Lourdes: ¿Dónde vivías antes?

María Luz: En un pueblo en plena sierra.

Lourdes: ¡No me digas! No lo sabía.

María Luz: Pues, sí, allí vivía.

Lourdes: ¿Era muy diferente tu vida de niña?

María Luz: ¡Ya lo creo! Era un pueblo remoto. Vivíamos en una casa de dos pisos con una huerta por detrás. Teníamos una chimenea grande donde encendíamos el fuego en el invierno. Hacía mucho frío en la sierra.

Lourdes: ¿Cambió tu vida mucho al venir a la ciudad?

María Luz: Cambió para toda la familia. Allí en el pueblo todos nos conocíamos. Aquí en la ciudad la gente no se conoce tanto. Allí apenas había tráfico – ¡aquí todo es diferente! Aquí vivimos en un piso moderno con calefacción central, butacas y sofás – en fin, son dos mundos distintos. Al llegar aquí a la ciudad no sabíamos lo que era vivir en una ciudad – ahora sí.

Palabra por palabra

en plena sierra	in the heart of the mountains	al venir	upon coming/ when you came
¡no me digas!	fancy that!	apenas	scarcely
sí, señor	yes indeed	la calefacción	
la huerta	vegetable garden	central	central heating
		la butaca	armchair
la chimenea	fireplace	el sofá	sofa
encender(ie)	to light	al llegar	upon arriving/ when we arrived
el fuego	fire		

Las frases clave

¿Cambió mucho tu vida **al venir** a la ciudad?
Did your life change a lot when you came to the town?

Al llegar aquí a la ciudad …
On arriving/When we arrived here in the town …

Al + the infinitive of the verb is a useful structure which enables you to omit a past tense altogether! Look at this example:

Cuando **yo llegué aquí**, no había nadie.   When I arrived here there was no-one.

Using al + infinitive, we get:

Al llegar aquí yo, no había nadie.   On arriving here, there was no-one.

 **7 Al entrar Juan …**

Cambia las frases usando _al_.

Por ejemplo: 1. Al entrar Juan en el bar, vio a Miguel.

1. <u>Cuando Juan entró en el bar</u> vio a Miguel.
2. <u>Cuando se fueron ellos</u>, cerré la puerta.
3. Lavé los platos <u>cuando ellos terminaron la comida</u>.
4. <u>Cuando me acosté</u>, sonó el teléfono.
5. Empezaron a aplaudir <u>cuando salió el actor</u>.
6. <u>Cuando llegué al banco</u> vi que no tenía mi tarjeta de crédito.

Estudia estas frases:

Lo que es diferente es …	What is different is …
No sabíamos **lo que** era vivir en la ciudad.	We didn't know what it was to live in the town.

Lo que means _what_ in a statement.

Por ejemplo:	**Lo que** no me gusta es tu actitud.	What I don't like is your attitude.
	Lo que me parece ridículo es el precio.	What seems ridiculous to me is the price.

8 **Lo que**   Conecta las frases siguientes usando lo que.

Por ejemplo: **Juan vive bastante lejos. Es un problema.**
Juan vive bastante lejos, lo que es un problema.

1. María tiene una bicicleta. Es útil.
2. Ángel no sabe nadar. Es una lástima.
3. Miguelín es muy malo. Hace sufrir a su madre.
4. Magdalena es una estudiante que trabaja mucho. Es muy importante.
5. Felipe es un chico difícil. Es curioso porque sus padres son muy simpáticos.
6. Mañana irán a Madrid. Me parece bien.

9 **Los muebles**
The furniture

¿Puedes solucionar este rompecabezas? Es un crucigrama, y contiene cinco muebles según los dibujos.

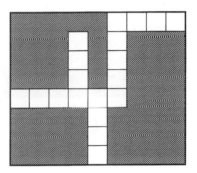

 **Escucha**

10 **¿Qué hacías tú la noche del crimen?**
What were you doing on the night of the crime?

NVQ Level: 1 L1.1

¿Qué hacían estas personas? Mira los dibujos, escucha las frases y escribe las letras en el orden en que las oyes.

a.   b.   c.

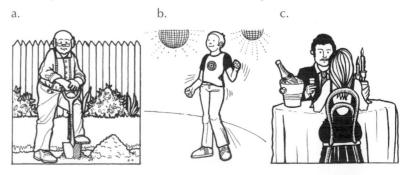

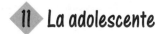

Lectura

11 La adolescente **Lee el artículo y asegúrate que lo entiendes.**

NVQ Level: 2 R2.1, 2 W1.2

Maribel era una niña guapa, bonita y muy simpática. Jugaba con los otros niños en la escuela y muchas veces invitaba a sus amigas a casa. En la escuela adelantaba bastante. Tenía mucho interés por sus estudios. Era una chica normal a quien le gustaba mucho la vida. Una de sus aficiones era la música y pasaba mucho tiempo escuchándola y bailando con sus hermanos menores. Le encantaba salir de paseo con sus padres, bien arreglada y peinada. También le gustaba mucho participar en las reuniones de familia, por ejemplo en el cumpleaños de su abuela o de otro pariente. Tenía una actitud positiva hacia la vida, hacia sus estudios, hacia su familia.

Poco a poco, al llegar a cumplir los trece años, iba cambiando de personalidad. Ya no hacía los deberes en seguida al volver del colegio; no le importaba sacar buenas notas. Ya no invitaba a sus amigos a casa sino se reunía con ellos en el bar de la esquina. Cuando salía nunca se arreglaba como antes, ponía vaqueros y camisetas todos los días. Cuando sus padres le hablaban durante la comida apenas contestaba y cuando lo hacía gritaba y ponía mala cara. Pasaba horas en su dormitorio. No quería participar en las reuniones familiares, sólo quería escaparse con los amigos del barrio. Los padres encontraban difícil aceptar el cambio tan drástico en su hija mayor pero tenían que aceptar que todo era consecuencia de la adolescencia y que la solución era tomarlo con calma, paciencia y filosofía. ¡Qué difícil!

Ahora escribe ocho frases en español basándoles en el artículo y los siguientes temas:

Por ejemplo: 1. Cuando Maribel era niña tenía mucho interés por sus estudios. 2. Cuando tenía 13 años …

Maribel y los estudios. (Cuando era niña y cuando tenía 13 años.)
Maribel y la ropa.
Maribel y los amigos.
Maribel y su familia.

La vida hispánica

En casa

When you are invited to a Spanish person's home for the first time you will be struck by several differences. If he/she lives in a modern block of flats you may well have to gain entry by speaking through an intercom – the ubiquitous security system which has replaced the **portero** of yesteryear.

There will certainly be tiled floors (fitted carpets are rare). Walls tend to be painted rather than papered and the overall feeling may be of coolness rather than warmth, in sharp contrast to the hospitality you will receive. Indeed, your host may well say to you **'Estás en tu casa'**, to make you feel at home.

In the south of Spain many blocks of flats are built around a courtyard (**patio**) in the Arab style. There may well be a fountain and many flowers there too. The vast majority of Spanish houses, old and modern, have balconies, where flower pots again hold pride of place, their contents trailing profusely between the bars. Indeed, there are by-laws forbidding people to water their plants on balconies during the busy part of the day so innocent bystanders don't receive unwelcome showers!

¡Estás en España!

12 Recuerdos infantiles

NVQ Level: 2 S1.4

Eres estudiante en España y vas a intercambiar recuerdos infantiles con otros estudiantes extranjeros. Prepara lo que vas a decir usando estas preguntas como guía:

1. ¿Dónde vivías cuando eras niño?
2. ¿Con quién?
3. ¿Cómo era la casa?
4. ¿Dónde jugabas?
5. ¿Cómo ibas a la escuela?
6. ¿Qué hacías durante las vacaciones?
7. ¿Tenías animales?
8. ¿Qué te gustaba más comer?
9. ¿A qué jugabas?
10. ¿Qué cosas odiabas?

13 En la comisaría
At the police station

NVQ Level: 2 S1.2

Durante tu visita a la ciudad de tu amigo español ves un accidente en la calle. En la Comisaría la policía te hace una serie de preguntas sobre el incidente. Contesta las preguntas con la ayuda de los dibujos:

La pronunciación

Here are some strong vowel combinations:

ae, **oa**, **eo**, **ea**, **ao**, **oe**

Escucha las combinaciones en las siguientes palabras y repítelas, especialmente la *ae*:

aeropuerto   c**ae**r   barbac**oa**   l**eo**   chimen**ea**   c**ao**s   p**oe**ma

¿Éxito?

Objetivo

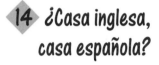

14   ¿Casa inglesa, casa española?

NVQ Level: 2 W1.2

Escribe cuatro frases que demuestran las diferencias entre las casas inglesas y españolas.

Por ejemplo: 1. En España normalmente hay baldosas en el suelo, pero en Inglaterra tienen moquetas.

Objetivo

15   Los pueblos de antes

NVQ Level: 2 S1.1

Imagina que estás estudiando sobre cómo era la vida española antes, en los pueblos. Haz seis preguntas.

Por ejemplo: 1. ¿Las casas tenían electricidad?

Objetivo

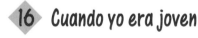

16   Cuando yo era joven

NVQ Level: 2 W1.3

Escribe un párrafo (*paragraph*) comparando tu vida de hoy con tu vida de niño/niña.

Por ejemplo: Cuando yo era niño/a vivía en el campo y ahora vivo en la ciudad …

¡Socorro!

◆ Si todavía tienes problemas con el pretérito y el imperfecto, haz la Actividad 17 en la próxima página. Escribe una conclusión para cada frase, usando el pretérito.

Mientras ... Completa las frases.

While ... Por ejemplo: **Mientras comía mi desayuno, ...**
Mientras comía mi desayuno, me llamó Juan por teléfono.

1. Mientras comía mi desayuno, ...
2. Mientras iba a la universidad a pie, ...
3. Mientras veía la televisión anoche, ...
4. Mientras esperaba el autobús, ...

15 *unidad quince*

Correos y el banco

The post office and the bank

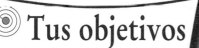
1 Sending letters, postcards and parcels around the world

1  **Quiero mandar este paquete**

I want to send this parcel

Lee, escucha y repite.

Empleada: Buenos días.
Peter: Buenos días. Quiero enviar este paquete a Inglaterra.
Empleada: ¿Qué hay dentro?
Peter: Una figura de porcelana para mi madre. Es su regalo de Navidad.

Empleada:	¿Quiere enviar el paquete certificado?
Peter:	Sí, ¿qué debo hacer?
Empleada:	Pues mire, tiene que rellenar este formulario. ¿Lo hago por usted?
Peter:	No, lo hago yo. Estoy aquí para practicar el español.
Empleada:	Vale, entonces escriba su nombre y su dirección en España, en la sección 'remitente' y el nombre y la dirección en Inglaterra en la sección 'destinatario'.
Peter:	Vale. Oiga, ¿qué quiere decir 'clase'?
Empleada:	Aquí tiene que indicar qué hay dentro del paquete, por ejemplo, periódico, impreso, ropa, etc.
Peter:	¿Y, 'modalidad'?
Empleada:	Aquí tiene que identificar cómo pagará, por ejemplo, 'contra reembolso', y alguna instrucción como, 'con aviso de recibo', 'urgente', 'frágil', etc.
Peter:	Bueno, voy a rellenar el formulario y vuelvo.
Empleada:	No, aquí no, tiene que llevar el paquete y el formulario a la taquilla número tres.
Peter:	Vale. También tengo que enviar estas cartas y postales al extranjero. ¿Puedo comprar los sellos aquí?
Empleada:	Sí. ¿Para dónde son los sellos?
Peter:	Las postales son para Inglaterra y las cartas son para Australia, Estados Unidos, Nueva Zelanda, Paquistán y Sudáfrica.
Empleada:	A ver, un momento, son diferentes precios …

Palabra por palabra

figura de porcelana	china ornament
Navidad	Christmas
certificado	registered
el formulario	form
la sección	section
el/la remitente	sender
el destinatario	addressee
indicar	to indicate
el impreso	printed material
la modalidad	method
contra reembolso	cash on delivery
con aviso de recibo	with advice of receipt
frágil	fragile
la taquilla	position; window
Estados Unidos	United States
Nueva Zelanda	New Zealand

 **2 La carta urgente**   Quieres mandar una carta certificada, urgente e importante. Rellena el formulario.

Correos y Telégrafos

Envio CERTIFICADO Núm. ....

REMITENTE...

Calle ....n°.............piso ....

DESTINATARIO ....

Calle ....n°.............piso ....

en ....

Sello de
fechas

CLASE	MODALIDAD
Carta...............................☐	Contra reembolso ....☐
Periódico.........................☐	Pesetas............................☐
Impreso...........................☐	Con aviso de recibo ....☐
Paquete de películas......☐	Urgente............................☐
Paquete Postal ....☐	

Las frases clave

¿Lo hago **por** usted?	Shall I do it for you?
Cinco sellos **para** postales.	Five stamps for postcards.

Por is used to express: *for*, *through*, *by* and *per* as in the following examples:

Lo hago **por** ti.	I do it for (on behalf of) you.
El tren pasa **por** el túnel.	The train passes through the tunnel.
Funciona **por** electricidad.	It works by (by means of) electricity.
Romeo y Julieta fue escrito **por** Shakespeare.	Romeo and Juliet was written by Shakespeare.
150 kilómetros **por** hora.	150 kilometres per hour.

It is also used in a place context: *round here/this way*, *round there/that way*.

Hay muchos restaurantes **por** aquí.	There are many restaurants round here.
Ven **por** aquí.	Come this way.
Está **por** allí.	It's that way.
No hay nadie **por** allí.	There's nobody round there.

And in a time context: *in the morning*, *in the afternoon*, *at night*.

Sólo hay clases **por** la mañana.	There are classes only in the morning.
Iré a comprar **por** la tarde.	I'll go shopping in the afternoon.
Por la noche me gusta leer.	At night I like to read.

Para is used to express *for* when talking about destination or purpose.

Juan sale **para** Sevilla.	John is leaving for Seville. (destination)
Estudio **para** mejorar.	I study to improve. (purpose)

Para is also used to refer to future time.

Estará terminado **para** el lunes.	It will be finished for/by Monday.
Tenemos una reunión organizada **para** las tres de la tarde.	We have a meeting arranged for three o'clock in the afternoon.

3 ¿Por o para?

Mira estas frases y complétalas con la forma correcta de por o para.

Por ejemplo:

1. La 'Sagrada Familia' en Barcelona fue diseñada por el arquitecto Antonio Gaudí.

The 'Sacred Family' in Barcelona was designed by the architect Antonio Gaudí.

1. La catedral Sagrada Familia en Barcelona fue diseñada .... el arquitecto Antonio Gaudí.
2. Ya he comprado la comida .... mañana.
3. Siempre lavo el coche el domingo .... la mañana.
4. Josefina se marcha .... Valencia.
5. ¿Hay una farmacia .... aquí?
6. He recibido una invitación .... asistir a un curso de español.
7. Los fines de semana me gusta salir .... la noche.
8. El bar Pepe está .... allí, pero no sé dónde exactamente.
9. Antes de volver .... casa quiero pasar .... Correos.

10. Hay una reunión mañana .... la mañana.

2 Changing currency at a bank

4 ¡No conoces los bancos!

Lee, escucha y repite.

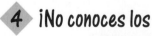

Jaime:	¿Qué pasa?
Sarah:	No sé, no funciona.
Jaime:	¡Qué rollo! Siempre lo mismo. ¿De dónde eres?
Sarah:	Soy de Inglaterra.

Jaime:	Yo estuve allí el año pasado. Fui para estudiar en la Universidad de Oxford.
Sarah:	Yo estoy en España para practicar el español.
Jaime:	¿Tienes tiempo para tomar un café?
Sarah:	Sí, claro.
Jaime:	Me gustaría hablar de Inglaterra.
Sarah:	Primero entraré en el banco para cambiar unos cheques de viaje, ¡no me queda dinero!
Jaime:	Pues mientras tú vas al banco, yo iré a Correos, pues sólo me falta enviar este paquete y ya he terminado mis quehaceres.
Sarah:	Vale, vamos a ese bar, el Bar Pepe.
Jaime:	Vale, dentro de media hora. ¿Media hora es suficiente para ti?
Sarah:	¡Huy sí, me sobra tiempo! Sólo voy al banco.
Jaime:	¡No conoces los bancos españoles!

Palabra por palabra

¿qué pasa?	what's going on?	no me	I've no …
qué rollo!	what a drag!	queda …	left
Siempre lo mismo	It's always the same	me falta	I need
		los quehaceres	chores
los cheques de viaje	travellers' cheques	me sobra tiempo	I've time to spare

Las frases clave

¡No **me queda** dinero!	I've no money left!
Sólo **me falta** mandar este paquete	All I've left to do is post this parcel.
¡**Me sobra** tiempo!	I've time left over.

In this dialogue you have seen and heard the impersonal verbs **quedar, faltar, sobrar.**

Other verbs of this type you have already met are **gustar** and **encantar.**

These verbs seem to work 'back to front'. **Me gusta** is translated as *I like*. However, it really means *It pleases me.* The verb ending is always in the third person and changes only to indicate if what you are refering to is singular or plural.

Por ejemplo:	**Me sobra** un sello.	I 've one stamp to spare.
	Les queda una botella.	They've one bottle left.
	Nos falta tiempo.	We need time
	Me sobran varios sellos.	I've several stamps spare.
	Les quedan dos botellas.	They've two bottles left.
	Nos faltan los libros.	We need the books.

Other Spanish verbs which behave in the same way are:

| **interesar** | to interest | **emocionar** | to thrill |
| **doler** | to hurt/ache | **apetecer** | to fancy |

¿Qué te falta?

Completa las frases con la forma correcta de: faltar, sobrar, quedar y gustar.

Por ejemplo: 1. A Juan y a Pilar no les queda dinero.

1. A Juan y a Pilar no (quedar) .... dinero.
2. ¿Tienes sellos? (faltar) .... dos.
3. A Ricardo y a mi (gustar) .... ir a la playa.
4. ¡Manolo, si (sobrar) .... bocadillos, dámelos!
5. A mi sólo (quedar) .... dos días de vacaciones.
6. A ti ¿cuántas pesetas (quedar) ....?
7. A María (faltar) .... amigos de su edad.

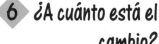

¿A cuánto está el cambio?
What's the exchange rate?

Lee, escucha y repite.

Richard:	Buenos días. Mire, el cajero automático no funciona.
Empleada:	¡No me digas! El ingeniero acaba de repararlo.
Richard:	Pues le aseguro que no funciona.
Empleada:	Debe ser su tarjeta.
Richard:	¡No! Otras tres personas lo han intentado y no funciona.
Empleada:	Bueno, pues llamaré al ingeniero otra vez.
Richard:	Quiero cambiar este cheque de viaje. ¿A cuánto está el cambio?
Empleada:	¿Qué moneda es?
Richard:	Libras esterlinas.
Empleada:	Está a 190 pesetas por libra. ¿Tiene su pasaporte?
Richard:	Sí, tenga.

Empleada:	¿Cuál es su dirección aquí en España?
Richard:	Calle Altamar 51, piso 2º puerta 1ª.

Palabra por palabra

el cajero automático	cash dispenser	intentar	to try
		la moneda	currency
le aseguro	I assure you	la libra	pound
debe ser tu tarjeta	it must be your card	esterlina	sterling
		la dirección	address

7 ¿Oiga, por favor?

Practise how you would say the following:

1. Is there a cash dispenser around here?
2. Do you accept credit cards?
3. I want to change a travellers' cheque.
4. What's the exchange rate for pounds sterling?

La vida hispánica

Información práctica

Correos *Post office*: In Spain you can send and collect money by Giro, buy stamps, send telegrams, letters, cards and parcels either by surface/air mail or registered post, in pretty much the way you would expect to. In

Latin America, things can be a little more complicated, particularly when sending parcels. Often the contents of the parcel will be inspected by a customs officer before you can post it, and in many cases you will find that the place for posting parcels overseas is not the main post office. In some Latin-American countries the parcel must be stitched up in cloth before it can be processed by the clerk. If, during your travels, you expect to receive mail in either Spain or Latin America you can arrange to use the **lista de Correos** *poste restante*.

Horario bancario *Banking hours*: In Spain banks are open to the public from 9:00 a.m. to 2:00 p.m. without a break, except on Saturdays, when *some* open from 9:00 a.m. to 12:30 p.m. (Always check these times in the area you are staying, as they are subject to change.) Latin America follows similar working hours to Spain. However, some countries adopt the 'siesta' break in the middle of the day, working through to later in the evening; some have adopted the 9–5 system, and some the 9–2. Always check these details before you travel.

Tarjetas de crédito *Credit cards*: In Spain and Latin America cards such as Visa and Mastercard are generally welcome, and cash dispensers are widely available, with instructions in most major languages. However, because exchange rates change, your bill could be more or less than you expected. Remember to ask if there's a discount for cash – you'll find that often there is! In remote areas you may find that credit cards will not be accepted by small hotels, guesthouses and traders, as they cannot afford the commission levied on these transactions. If they do accept, they will almost certainly impose a surcharge (**recargo**) of approximately 10 per cent.

Teléfonos públicos *Public telephones*: Spain has a large network of public telephone booths, most of which are designed to accept coins, telephone cards, and credit cards. Telephone cards are by far the cheapest way of making calls and 200 pesetas, 500 pesetas and 1000 pesetas cards are available. Most bars have pay telephones for customers, but the most surprising thing is the rapidly re-emerging **locutorios**. These are operator-controlled booths where not only can you make local and long distance calls, but in many cases also have a fax facility. In Latin America, however, telephone services have traditionally been quite poor. Many countries have in recent years privatised their telephone systems in an attempt to improve the service, often with little success. When travelling in Latin America it is often cheaper to make reverse-charge long-distance calls.

Estancos *Tobacconist's*: In Spain this is the most convenient place to buy stamps and telephone cards!

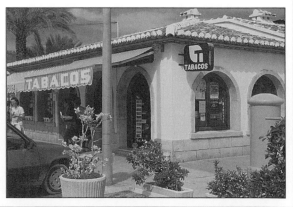

La pronunciacón

Los diptongos
diphthongs

Diphthongs in Spanish are divided into three groups:
a strong vowel + a weak vowel
a weak vowel + a strong vowel
two weak vowels.

The strong vowels are: a, e, o and weak vowels are: i, u, y

Para practicar la pronunciación de los diptongos escucha y repite.

1. Strong + weak vowel

ai o ay: **Ai**re h**ay** tr**ai**go M**ai**te
au: **au**tor **au**tomóvil Rest**au**rante P**au**la

ei o ey: S**ei**s r**ey** r**ei**na tr**ei**nta
eu: **Eu**ropa r**eu**matismo

oi o oy: h**oy** **oi**go s**oy** est**oy**

2. Weak + strong vowel

ia: famil**ia** grac**ia**s p**ia**no estud**ia**nte
ic: b**ie**n t**ie**mpo inv**ie**rno ingen**ie**ro
io: ad**ió**s Anton**io** **i**d**io**ma rub**io**

ua: ag**ua** c**ua**tro ¿c**uá**ndo? g**ua**pa
ue: Man**ue**l p**ue**rta n**ue**vo h**ue**so

3. Two weak vowels

ui o uy: m**uy** L**ui**sa ¡h**uy**! c**ui**dado
iu: c**iu**dad tr**iu**nfo v**iu**da

Note: **ue** or **ui** after the letter **q** or **g** are not diphthongs, as in this combination the u is silent.

Escucha y repite.

qu**ie**ro qu**i**nce Gu**e**rnica gu**e**rra

However, when the u has to be pronounced, it will have two dots above it: ü. This is called *diéresis*.

Escucha.

biling**üe** ling**üi**stico ping**üi**no

 **Lectura**

8 La moneda de España y Latinoamérica

NVQ Level: 2 R1.1

Lee la información y contesta las preguntas en español.

Glosario: etiquetas – labels, billetes – banknotes, moneda – currency, monedas – coins, descuento – discount, metálico – cash.

En España. La palabra 'peseta' es normalmente abreviada a 'ptas' o 'pts.' en tiendas y en etiquetas, pero PTA en sellos y tarjetas de teléfono. La moneda española consiste en billetes de: 200 – 500 – 1.000 – 2.000 – 5.000 y 10.000 pesetas y monedas de: 1 – 2 – 5 – 10 – 25 – 50 – 100 – 200 y 500 pesetas.

La mayoría de las tiendas y establecimientos aceptan eurocheques, cheques de viaje y tarjetas de crédito, aunque frecuentemente es posible obtener un descuento si se paga en metálico. En general los precios incluyen 'el impuesto al valor añadido' – IVA.

En Latinoamérica hay varias monedas:

El peso	Méjico, Bolivia, Colombia, Cuba, Chile, La República Dominicana, Uruguay y Argentina.
El sucre	Ecuador.
El guaraní	Paraguay.
El sol	Perú.
El bolívar	Venezuela.
El colón	Costa Rica y El Salvador.
El córdoba	Nicaragua.
El quetzal	Guatemala.
La lempira	Honduras.
El balboa	Panamá.
El dólar	Puerto Rico.

En muchos de estos países, el cambio contra el dolár, la libra esterlina y otras monedas Europeas varia constantemente, y las monedas tienen gran tendencia a sufrir devaluaciones.

1. ¿Cuál es una de las ventajas (*advantages*) de pagar en metálico?
2. ¿Qué significa la abreviatura IVA ?
3. ¿Cuál es el billete de mayor valor en la moneda española?
4. ¿En qué países latinoamericanos se utiliza la moneda 'el peso'?
5. ¿Cuántos tipos de moneda existen en Latinoamérica?

¡Estás en España!

9 En Correos

NVQ Level: 2 S1.3

Estás en España y vas a Correos para mandar una carta certificada, comprar sellos para postales y comprar una tarjeta para el teléfono. (*Follow the prompts on the recording.*)

10 Cambiando un cheque

NVQ Level: 2 S1.3

El cajero automático no funciona. Entras en el banco para cambiar un cheque de viaje. (*Follow the prompts on the recording.*)

¿Éxito?

 11 ¡Contra el reloj!

NVQ Level: 1 S1.2

Objetivo

Di frases en español que podrías decir en Correos. ¡A ver cuántas puedes decir en un minuto!

Por ejemplo: Quiero enviar un paquete a Inglaterra.

Objetivo

12 Hablando en español

NVQ Level: 2 S1.3

Ahora di las siguientes frases en español.

1. I want to change this travellers' cheque.
2. What's the exchange rate?
3. Do you accept credit cards?
4. Can you give me change for the telephone?
5. Have you got 500-peseta notes?

¡Socorro!

◆ For more practice on **para** and **por**, copy the English sentences in **Las frases clave** on page 235 in a jumbled order and say whether you need to use **para** or **por**. Try to make similar Spanish sentences of your own.

16 *unidad dieciséis*

Escribiendo cartas

Writing letters

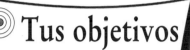

Tus objetivos

1 Writing and replying to formal letters

2 Writing letters to friends

1 Writing and replying to formal letters

 ¡Por fin! Finally!

Lee, escucha y repite.

Nuria:	El cartero acaba de pasar. Sí, hay cartas …
Raúl:	¿Qué pasa?
Nuria:	Por fin han contestado; hace tres semanas que estoy esperando …
Raúl:	¿Qué estás esperando? Por Dios, ¡no me hagas morir de curiosidad!
Nuria:	La escuela de idiomas … un momento, déjame abrir la carta … Sí, me han aceptado para el curso avanzado de inglés. Mi amiga Montse está estudiando el mismo curso, y siempre me está diciendo que es muy bueno. Mira …
Raúl:	Espera un momento; estoy leyendo esta revista …
Nuria:	¡No me digas! Siempre estás leyendo revistas de informática. Raúl, mira lo que dice la carta, ¿quieres?

Palabra por palabra

el cartero	postman	el mismo	the same
esperar	to wait	siempre	always
morir de curiosidad	to die of curiosity	la revista	magazine
el curso avanzado	course advanced	la informática	information technology

2 La carta   Lee la carta que ha recibido Nuria. Luego, lee la traducción en la seccion *solutions*.

> Escuela Mundial de Idiomas
> Paseo de Quintana 34
> 28007 MADRID
>
> Srta Nuria Pineda Lozano
> Calle Pardo Bazán 15, 2º
> 28014 MADRID
>
> 6 de mayo de 1998
>
> Distinguida señorita:
>
> Acusamos recibo de su atenta carta del 14 de abril, y su solicitud de inscripción para nuestro curso avanzado de inglés. Tenemos el gusto de decirle a Vd que ha sido aceptada para el curso, que empieza el 16 de julio.
>
> A continuación le enviaremos información detallada sobre el curso, los trámites de inscripción y el método de pago. Mientras tanto estamos seguros de que nuestro curso será de su agrado y que Vd tendrá mucho éxito.
>
> Le saluda atentamente
>
> *Felipe Aznar*
>
> Felipe Aznar
> Director

Palabra por palabra

Distinguida señorita	Dear Madam (to a young lady)	detallado	detailed
acusamos recibo	we acknowledge receipt	los trámites	procedures
		inscripción	registration
atenta	kind	el pago	payment
la solicitud de inscripción	application form	mientras tanto	meanwhile
		seguro	sure
a continuación	next, shortly	de su agrado	to your liking

Las frases clave

Note that greetings in letters are always followed by a colon, not a comma. Here are more greetings suitable for formal letters:

Muy señor mío:	Dear Sir
Muy señora mía:	Dear Madam
Apreciados señores:	Dear Sirs
Estimado señor:	Dear Sir (in South America)
Estimado señor García:	Dear Mr García

Here are more endings (with approximate English equivalents):

Atentamente	Yours faithfully
Reciba un atento saludo de	
Quedando a la espera de sus noticias	Looking forward to hearing from you
Reciba un cordial saludo de	Yours sincerely

 **3** **La contestación**

Here is Nuria's reply after receiving further details:

> Sr don Felipe Aznar, Director
> Escuela Mundial de Idiomas
> Paseo de Quintana 34
> 28007 MADRID
>
> Madrid, 16 de junio de 1998
>
> Estimado señor Aznar:
>
> Muchas gracias por su amable carta del 6 del presente mes, y por el folleto de información, que me será muy útil. Adjunto el formulario debidamente rellenado, y un cheque por 40.000 pesetas, siendo el pago de las primeras dos semanas del curso.
>
> Envíeme por favor un recibo por dicho pago, y deme alguna información sobre los libros que tengo que comprar.
>
> Dándole anticipadas gracias,
>
> Atentamente,
>
> Nuria Pineda

Palabra por palabra

amable	kind	adjuntar	to enclose (in a letter)
el presente mes	this month (instant)	debidamente	duly
útil	useful	siendo	being

Las frases clave

In the title of this unit you saw an -*ing* word: a *gerund*:

Escribiendo cartas.   Writing letters.

You have also seen these gerunds:

Quedando a la espera de sus noticias …	Awaiting your reply… (literally 'remaining in expectation of your news'…)
Siendo el pago por el curso…	Being the payment for the course…

Gerunds are made by taking the ending from the infinitive and substituting:

-ando for **-ar**, and **-iendo** for **-er** or **-ir**:

qued**ar** – qued**ando**, s**er** – s**iendo**, escrib**ir** – escrib**iendo**

In the case of verbs like **leer,** with two e's together, the ending is **-yendo**:

Estoy le**yendo** esta revista.

Notice what happens to the radical-changing **-ir** verbs **decir** *to say* and **morir** *to die*:

Siempre me está d**i**ciendo que es muy bueno.
Estoy m**u**riendo de curiosidad.

You can put the verb **estar** in front of a gerund to say what someone *is doing now*. (This is the present continuous tense):

Estoy esperando una carta.	I'm waiting for a letter.
¿Qué **estás esperando**?	What are you waiting for?
Siempre **estás leyendo** revistas.	You're always reading magazines.
Montse **está estudiando** el inglés.	Montse is studying English.
Estamos haciendo un curso de informática.	We're doing a computer course.

4 **¿Qué estás haciendo?**

Di lo que estás haciendo en este momento, según los dibujos.

Por ejemplo: 1. Estoy leyendo una revista.

Look again at this phrase:

> Dándole anticipadas gracias ... 'Giving you anticipated thanks' ...
> (i.e. Thanking you in advance ...)

Object pronouns can be added the end of the gerund, in which case an accent is also needed:

> ¿La carta? Estoy esperán**dola.**   The letter? I'm waiting for it.

The object pronoun can also go in front of the part of **estar**:

> La estoy esperando.

(This is the same rule that applies to pronouns and infinitives, see *Unidad 11*.)

5 ▸ Estoy leyéndola

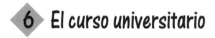

NVQ Level: 2 W1.1

Haz las frases de Acividad 4 usando pronombres.

Por ejemplo: 1. ¿La revista? Estoy leyéndola.

6 ▸ El curso universitario

NVQ Level: 2 W1.3

You have received a reply from Sr Luis Aguilera, in the Facultad de Letras at the University of Salamanca, giving you some information on a summer course, but you need more. Adapt Nuria's letter on page 247 and:

- Thank him for his letter of May 10th,
- also for the information and the form.
- Say it is useful to have details of accommodation (*alojamiento*),
- but you would be grateful if he could give you some information about the prices.
- Tell him you enclose the application form, duly signed,
- and a cheque for 20,000 pesetas,
- and that you would like to have a receipt.

Be sure to set out your letter correctly and to sign it.

2 Writing letters to friends

 7 ¿La vida estudiantil? Andrés está estudiando en Sevilla. Lee la carta que escribe a su amigo Jaime en Bilbao:

Sevilla, 2 de junio.

Querido Jaime:

¿Qué tal? La vida aquí en la facultad es fenomenal. Oye, si ves a Anita, no le digas nada sobre lo que pasó en la fiesta durante tu última visita, ¿entendido? Estoy saliendo con una chica muy simpática, que se llama Mari Luz; creo que la conociste en enero. Si encuentras a Anita, no menciones a Mari Luz, y vice versa.

Aquí hace un calor tremendo. Si vienes aquí otra vez, no te olvides tu bañador; hay una piscina fabulosa cerca de la universidad. Pero hay una nube en mi cielo: los exámenes. Francamente de momento no estoy haciendo casi nada. Tengo un examen de filosofía pasado mañana pero no me interesa nada; es la asignatura más aburrida del mundo. Si quieres estudiar algo, no estudies filosofía; haz algo útil como informática.

Estos días estoy pensando en trabajar en una empresa de ordenadores si puedo conseguir un puesto. Estoy haciendo un curso de informática y eso sí que me interesa; estoy aprendiendo mucho. No pienses que soy perezoso; paso muchísimas horas jugando con el ordenador.

¿Cómo está tu hermana? Dile que es muy guapa. Ella también puede venir aquí. ¡No me olvidéis! Venid a verme este mes si podéis.

Hasta pronto.

Un saludo,

Andrés

Palabra por palabra

no le digas nada	don't say anything to her	la asignatura	subject
tremendo	tremendous	pensar en	to think about
no te olvides	don't forget	la empresa	firm
el examen	examination	el ordenador	computer
francamente	frankly	conseguir	to obtain
de momento	at the moment	el puesto	job, post
la filosofía	philosophy	aprender	to learn
pasado mañana	the day after tomorrow	perezoso	lazy

Las frases clave

In an informal letter the sender simply writes the town and date in the top right corner, not his/her whole address (which goes on the back of the envelope).

Here are some more phrases for starting and ending a letter to a friend:

Querida Pilar:	Dear Pilar,
Mi querido amigo/a:	My dear friend,
Un saludo	Yours
Un afectuoso saludo de	
Un abrazo	Yours affectionately,
Afectuosamente	
Recibe un fuerte abrazo de	
Muchos besos y abrazos de	Yours very affectionately,
Con mucho cariño	With much love,
Besos	Kisses

In this unit you have seen several positive instructions to friends (i.e. informal imperatives), for example:

Espera un momento.	Wait a moment.
Haz algo útil.	Do something useful.
Venid a verme.	Come and see me.

If you are unsure of those commands, look back to *Unidad 8*, or the Grammar Summary, page 279.

You have also seen some negative informal imperatives.

For instructions given to one person, the endings are:
-es for an **ar** verb:

¡No esper**es**!	Don't wait!

-as for an **-er** or **-ir** verb:

¡No escrib**as**!	Don't write!

No menciones a Mari Luz.	Don't mention Mari Luz.
No te olvides tu bañador.	Don't forget your swimming costume.
No estudies filosofía.	Don't study philosophy.
¡**No me hagas** morir de curiosidad!	Don't make me die of curiosity!
¡**No me digas**!	You don't say!
No le digas nada.	Don't tell him/her anything.

If the first person singular of the present tense of the verb has an irregular spelling, that spelling stays in the stem of the imperative:

ha**go** …	I make …	¡No ha**gas** …!	Don't make …!
di**go** …	I tell …	¡No di**gas** …!	Don't tell …!

For informal imperatives in the plural, the same rules apply, but the endings are **-éis** for **-ar** verbs and **-áis** for **-er** and **-ir** verbs.

¡**No me olvidéis**!	Don't forget me!
¡**No comáis** eso!	Don't eat that!
¡**No salgáis** sin mí!	Don't go without me!

8 ¡No lo hagas!   Change these instructions from positive to negative.

Cambia las instrucciones.

Por ejemplo:

¡**Firma el cheque!** *Sign the cheque!* = ¡**No firmes el cheque!** *Don't sign the cheque!*

1. ¡Habla en voz alta!
2. ¡Nada en el río!
3. ¡Come la paella!
4. ¡Escribe al director!
5. ¡Di la verdad!
6. ¡Haz como hago yo!

Try this activity again, this time giving the instructions to several friends.

Por ejemplo: ¡**No firméis el cheque!**

When you use object pronouns with informal imperatives you add them to the end of the verb for positive commands, but put them in front of the verb for negative commands:

Dime.	Tell me.	No me digas.	Don't tell me.
Déjame.	Leave me	No me dejes.	Don't leave me.

Espérala.   Wait for her.   No la esperes.   Don't wait for her.

The same is true for formal imperatives and for infinitives; look again at *Unidad 11* if you are not sure.

Work out the meanings of the titles of these popular songs from the days of the great Latin lovers!

Traduce las canciones.

'Bésame mucho.'
'No me dejes, querida.'
'Déjame saber que me quieres.'
'No me olvides, mi amor.'
'Canta y no llores.'

10 **¿Buenas noticias?**

Lee la contestación de Jaime.

> Bilbao, 11 de junio
>
> Amigo Andrés:
>
> Gracias por tu carta, que llegó mientras yo estaba lavando el coche. Como yo estaba ocupado, Anita la abrió. Mientras la estaba leyendo, se enfadó mucho; ¡no sé por qué!
>
> Sí, me gustaría muchísimo ir a Sevilla a verte, y a mi hermana también. Ella quiere traer a su novio, que es profesor de filosofía. Vamos a venir la semana que viene, y estábamos pensando en quedarnos todo el verano. ¿Podemos compartir tu piso? Gracias.
>
> Acabo de ver a tus padres. Estaban pensando en ti, y te desean lo mejor para tus exámenes. Tu padre dice que si tienes éxito, puedes devolverle el dinero que le pediste prestado para tus estudios.
>
> Ah, otra cosa; mientras yo estaba trabajando con tu ordenador, tuvo una avería y ya no funciona. Pero de todos modos es bastante viejo.
>
> Vamos a llegar el martes próximo. Ven a recogernos en la estación sobre las dos y media, ¿quieres? Gracias.
>
> Hasta luego, tu amigo
>
> Jaime

Palabra por palabra

ocupado	busy	pedir prestado	to borrow
enfadarse	to get angry	tener una	to break
compartir	to share	avería	down
desear lo	to wish the	de todos modos	anyway
mejor	best	¿quieres?	would you?

Frases clave

Yo **estaba lavando** el coche.	I was washing the car.
Yo **estaba trabajando** con tu ordenador.	I was working with your computer.
Ella la **estaba leyendo**.	She was reading it.
Estábamos pensando en quedarnos todo el verano.	We were thinking of staying all summer.
Estaban pensando en ti.	They were thinking of you.

To say what someone *was doing*, you put a gerund after the imperfect of **estar**. This is called the imperfect continuous tense, and it is a useful alternative to the imperfect (see *Unidad 14*), especially if the action is interrupted:

Estaba leyendo el periódico cuando sonó el teléfono.	I was reading the newspaper when the telephone rang.

11 Interrupciones

Describe lo que estabas haciendo cuando algo ocurrió.

Por ejemplo: 1. Estaba desayunando cuando llegó el cartero.

12 No dejes de enviarme una postal
Don't fail to send me a postcard

NVQ Level: 1 L1.2

Vas a visitar Santiago de Compostela, en el noroeste de España, en marzo. Una amiga te está dando unos consejos (*advice*). Escucha varias veces, y nota en inglés las cosas que te aconseja hacer y no hacer.

Por ejemplo: *Don't forget your umbrella. Wear winter clothes.*

La catedral de Santiago de Compostela.

13 Hace tanto tiempo ...
It's been so long ...

NVQ Level: 1 L1.1

Tu amigo Julio te llama por teléfono. Escucha varias veces su llamada y contesta las preguntas en español.

1. ¿Qué quiere saber Julio ?
2. ¿Dónde está viviendo Julio de momento?
3. ¿Qué le gusta hacer cuando no está estudiando?
4. ¿Qué está escribiendo?
5. ¿Qué te pregunta Julio sobre tus estudios?
6. Segun él, ¿qué puedes hacer?

La casa de Cervantes

La pronunciación

In Spanish, when a word ends with a vowel and the next word begins with the same vowel the two are run together. This is called **sinalefa**. Listen to these examples, then repeat them.

Escucha y repite.

L**a a**signatura qu**e e**stoy haciendo.
Una viej**a a**miga mía.
M**e e**stá diciendo lo mismo.
¿Qu**é e**stás esperando?

¡Estás en España!

 14 **Confidencial**

NVQ Level: 2 R1.2

Mientras estás leyendo una revista, ves estas cartas de Sara en la página de consejos. ¿Estás de acuerdo con los consejos?

¡No fumes mientras estás comiendo!

Querida Sara:

Soy un chico que tiene 17 años y fumo desde hace cuatro años. Mucha gente me ha dicho que si comes mientras estás fumando, te puede provocar cáncer. Por favor aclárame esta duda.
Adiós y gracias.

Ramón

Fumar mientras estás comiendo es tan peligroso como fumar mientras estás mirando la tele o hablando con un amigo... El tabaco puede provocar cáncer, además de causarte problemas con la circulación de la sangre. Fumar siempre es malo para la salud. Mi consejo es: ¡no fumes!

Siempre estoy comprando ...

Querida Sara:

Mi problema es que siempre estoy comprando cosas, pero nunca puedo comprarme todas las cosas que quiero. Me ilusiona tener un microondas como la que tiene mi vecina, y también ir a una peluquería cara como la de mi hermana; o poder comprarme ropa moderna, o algún reloj de lujo. Me gustaría muchísimo tener esas cosas. ¡Ayúdame, por favor!

Jimena

Para ti, cada día tiene que ser tu cumpleaños o Navidad. Trata de encontrar satisfacción en otros aspectos de tu vida. Mira bien tu vida; ¿has tenido suficiente cariño cuando eras niña? ¿Lo tienes ahora? A veces, el deseo de comprar cosas de lujo indica frustraciones sentimentales muy grandes. Si esto no es tu caso, no te preocupes; ¡cómprate algún regalo de vez en cuando!

(Adapted from *Práctica*, No 5, p111. Planeta Revistas.)

15 ¿Quieres dejar de fumar?
Do you want to give up smoking?

NVQ Level: 2 W1.3

Escribe una carta (unas 80 palabras) aconsejando a un(a) joven español(-a) que quiere dejar de fumar. Él/ella siempre fuma mientras está trabajando, y después de comer.

Amigo Paco:
¿Quieres dejar de fumar? Bueno, mi consejo es: no fumes mientras estás trabajando...

¿Éxito?

Objetivo ✔

16 Muy señor mío

NVQ Level: 2 W1.3

Quieres pasar una semana en Burgos. Escribe una carta de unas 120 palabras al director de la oficina de turismo (Plaza Alonso Martínez 7). Dile cuánto tiempo vas a pasar allí, qué quieres hacer en la ciudad, qué excursiones te interesan, etc.

Objetivo ✔

17 Querido amigo

NVQ Level: 2 W1.3

Escribe una carta a un(a) amigo(-a) español(-a), diciéndole lo que estás haciendo estos días. Puedes mencionar tus estudios, tu tiempo libre, tu trabajo, y lo que haces en casa.

Escribe unas 100 palabras.

¡Socorro!

◆ For further practice on letter-writing phrases, think of various people you know, or firms you have to write to. How would you start and finish letters to them? For example, **Muy señor mío:**, **Un saludo cordial ...**

◆ For more practice on the present continuous, write the sentences in Activity 4 using a different person of the verb, e.g. **Estás leyendo una revista.**

◆ For negative commands, rewrite sentences 3 to 5 of Activity 8 like this: **¡No la comas!**

Unidades 13, 14, 15 y 16

Repaso 5

1 ¿Es correcto el pronóstico?
Is the forecast right?

NVQ Level: 2 R1.1, 2 L1.1

Lees un pronóstico del tiempo en el periódico. Unas horas más tarde, escuchas un pronóstico para las mismas regiones en la radio. ¡Pero hay diferencias! Subraya los detalles que son diferentes.

Por ejemplo: Por la mañana, lloverá en toda la región.

ESTE DE ESPAÑA

Cataluña

Por la mañana, lloverá en toda la región. Habrá nieblas en la costa. Después de mediodía, hará un tiempo seco, con brisas del sureste.

Comunidad Valenciana

Esta mañana habrá tormentas, especialmente en las montañas, con vientos fuertes del sureste. Por la tarde tendremos cielos nublados, pero sin lluvia.

Murcia

Hoy hará mucho calor, con temperaturas hasta 32 grados. Por la tarde veremos algunas nubes en el cielo, pero las temperaturas seguirán altas, sin casi ningún viento.

2 La denuncia
The police report

NVQ Level: 1 W1.1

Un robo ocurrió en un piso alquilado (*rented*) por unos ingleses. Algunas cosas estaban en otros sitios, y otras cosas faltaban completamente. Como los ingleses no hablan español, tú escribes la denuncia para la policía. Mira los dos dibujos y describe la situación después del robo.

Por ejemplo: Después del robo, el sofá estaba en el vestíbulo … Faltaban el microondas y …

Antes

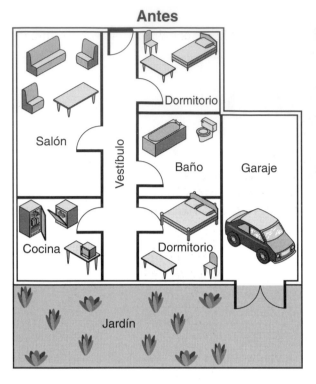

Salón

Vestíbulo

Dormitorio

Baño

Garaje

Cocina

Dormitorio

Jardín

Después

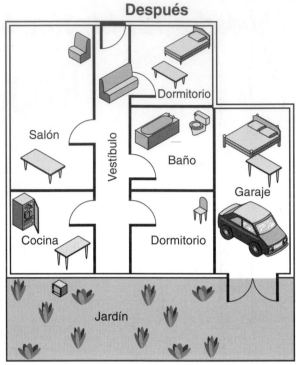

Salón

Vestíbulo

Dormitorio

Baño

Garaje

Cocina

Dormitorio

Jardín

3 ▸ En Correos

NVQ Level: 1 L1.1

Estás en una oficina de Correos en España. Escuchas a los clientes delante de ti. Nota en inglés lo que quieren enviar, adónde, y cuánto pagan.

Number	Item	Destination	Cost
1.	Letter	England	100pts
2.			
3.			
4.			
5.			
6.			

4 ▸ Tu dormitorio

NVQ Level: 1 L1.2

Acabas de llegar a casa de tu amiga española. Está mostrándote tu dormitorio. Escucha, y apunta la información en inglés.

Por ejemplo: *The bedroom is on the first floor …*

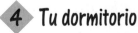

 **5 Rompecabezas: Hispanoamérica**

¿Conoces los países de Hispanoamérica? A ver si puedes identificar éstos …

6 Unas vacaciones estupendas

NVQ Level: 2 W1.3

Mientras estás en España, escribes una postal a un(a) amigo(a) español(a) en otra parte del país. Describe cómo es el piso que has alquilado, y qué estás haciendo de momento. Por ejemplo:

¡Hola!
Estoy pasando unas vacaciones estupendas aquí en........
Tenemos un piso con salón, cocina moderna, y........
De momento, estoy en el balcón, tomando el sol, y.......

GRAMMAR SUMMARY

ARTICLES (*Unidades* 1, 3, 4)

	The		A / an	Some
	singular	plural		
	El hombre	**Los** hombres	**Un** hospital	**Unos** zapatos
	La mujer	**Las** mujeres	**Una** clínica	**Unas** pastillas

Note: A + el = **al** e.g. Voy **al** banco.
De + el = **del** e.g. Cerca **del** cine.

NOUNS (*Unidades* 1, 3)

Those ending in:

-o are masculine:	el supermerca**do**	un libr**o**
-a are feminine:	la oficin**a**	una clínic**a**
-dad are feminine:	la ciu**dad**	una universi**dad**
-ción are feminine:	la pronuncia**ción**	una can**ción**

But there are exceptions e.g. **el mapa, el día, la radio, la mano**.

To form the plural of nouns, add **s** to a vowel and **es** to a consonant.

e.g.	el hombre	los hombre**s**
	la ciudad	las ciudad**es**

However, words ending in **z** change to **ces** in the plural, e.g. vez – ve**ces**, and words ending in a stressed **-ión -ón** or **és** lose their accents in the plural.

e.g.	la can**ción**	las can**ciones**
	el sal**ón**	los salon**es**
	el franc**és**	los frances**es**

VERBS

All Spanish verbs end in either **-ar, -er,** or **-ir** in the infinitive form.

▼ THE REGULAR PRESENT TENSE (*Unidades* 1, 2)

Trabaj**ar** to work

Trabaj **o**	I work
Trabaj **as**	you (informal singular) work
Trabaj **a**	he/she works/you (formal singular) work
Trabaj **amos**	we work
Trabaj **áis**	you (informal plural) work
Trabaj **an**	they/you (formal plural) work

Com**er** to eat

Com **o**	I eat
Com **es**	you (informal singular) eat
Com **e**	he/she eats/you (formal singular) eat
Com **emos**	we eat
Com **éis**	you (informal plural) eat
Com **en**	they/you (formal plural) eat

Viv **ir** to live

Viv **o**	I live
Viv **es**	you (informal singular) live
Viv **e**	he/she lives/you (formal singular) live
Viv **imos**	we live
Viv **ís**	you (informal plural) live
Viv **en**	they/you (formal plural) live

e.g.	¿Dónde trabaj**as**?	Where do you work?
	Siempre com**o** en casa.	I always eat at home.
	Vivi**mos** cerca de Madrid.	We live near Madrid.

▼ THE PRETERITE TENSE (*Unidad* 10)

This is also known as the Simple Past. It has two sets of endings, one for **-ar** verbs and one for **-er** and **-ir** verbs.

Trabaj **ar** to work

Trabaj **é**	I worked
Trabaj **aste**	you (informal singular) worked
Trabaj **ó**	he/she/you (formal singular) worked
Trabaj **amos**	we worked
Trabaj **asteis**	you (informal plural) worked
Trabaj **aron**	they/you (formal plural) worked

Com **er** to eat

Com **í**	I ate
Com **iste**	you (informal singular) ate
Com **ió**	he/she/you (formal singular) ate
Com **imos**	we ate
Com **isteis**	you (informal plural) ate
Com **ieron**	they/you (formal plural) ate

Viv **ir** to live

Viv **í**	I lived
Viv **iste**	you (informal singular) lived
Viv **ió**	he/she/you (formal singular) lived
Viv **imos**	we lived
Viv **isteis**	you (informal plural) lived
Viv **ieron**	they/you (formal plural) lived

e.g.	El lunes trabaj**é** todo el día.	On Monday I worked all day.
	Ayer com**imos** en el restaurante.	Yesterday we ate in the restaurant.
	El año pasado viv**ieron** en Perú.	Last year they lived in Peru.

▼ The strong preterite (*Unidad* 14)

This group of verbs has its own set of endings added on to irregular stems, and no accents:

Decir: dije, dijiste, dijo, dijimos, dijisteis, dijeron
Estar: estuve, estuviste, estuvo, estuvimos, estuvisteis, estuvieron
Haber: hube, hubiste, hubo, hubimos, hubisteis, hubieron
Poder: pude, pudiste, pudo, pudimos, pudisteis, pudieron
Poner: puse, pusiste, puso, pusimos, pusisteis, pusieron
Querer: quise, quisiste, quiso, quisimos, quisisteis, quisieron
Saber: supe, supiste, supo, supimos, supisteis, supieron
Tener: tuve, tuviste, tuvo, tuvimos, tuvisteis, tuvieron
Traer: traje, trajiste, trajo, trajimos, trajisteis, trajeron
Venir: vine, viniste, vino, vinimos, vinisteis, vinieron

▼ **THE PERFECT TENSE** (*Unidad* 12)

This tense is formed by putting the *present tense* of **haber** (**he, has, ha, hemos, habéis, han**) in front of the past participle.

The past participle endings are: **-ado** for **-ar** verbs and **-ido** for **-er** and **-ir** verbs.

haber		trabaj **ar**	com **er**	viv **ir**
he		trabaj **ado**	com **ido**	viv **ido**

e.g.	**He** trabaj**ado** doce horas.	I've worked twelve hours.
	¿**Has** com**ido**?	Have you eaten?
	Han viv**ido** en Perú.	They've lived in Peru.

However, there are a number of irregular past participles.

e.g.	abrir	**abierto**	cubrir	**cubierto**
	descubrir	**descubierto**	decir	**dicho**
	escribir	**escrito**	hacer	**hecho**
	poner	**puesto**	romper	**roto**
	ver	**visto**	volver	**vuelto**

e.g.	He **escrito** a mi madre.	I have written to my mother.
	Han **roto** la televisión.	They have broken the television.

▼ **THE FUTURE TENSE** (*Unidad* 13)

This tense has just one set of endings for **-ar**, **-er** and **-ir** verbs: **-é, -ás, -á, -emos, -éis, -án**. These endings are added to the infinitive of the verb:

Trabaj **ar**	Com **er**	Viv **ir**
Trabaj **aré**	Com **eré**	Viv **iré**
Trabaj **arás**	Com **erás**	Viv **irás**
Trabaj **ará**	Com **erá**	Viv **irá**
Trabaj **aremos**	Com **eremos**	Viv **iremos**
Trabaj **aréis**	Com **eréis**	Viv **iréis**
Trabaj **arán**	Com **erán**	Viv **irán**

e.g.	¡Trabajaré mañana!	I will work tomorrow!
	Comeremos a las dos.	We will eat at two.
	Vivirán en Perú.	They will live in Peru.

For some verbs the infinitive changes slightly, e.g **poder** becomes **podré**.

'Ir a' + infinitive   (*Unidad* 6)

This is another way of expressing the future.

e.g.	**Voy a** trabajar.	I am going to work.
	Vamos a comer.	We are going to eat.
	Van a estudiar.	They are going to study.
	No voy a ir.	I am not going to go.

▼ **THE IMPERFECT TENSE** (*Unidad* 14)

This tense is used for things that 'used to happen' or 'were happening'. It has two sets of endings, one for **-ar** and one for **-er** and **-ir**:

Trabaj **ar**	Com **er**	Viv **ir**
Trabaj **aba**	Com **ía**	Viv **ía**
Trabaj **abas**	Com **ías**	Viv **ías**
Trabaj **aba**	Com **ía**	Viv **ía**
Trabaj **ábamos**	Com **íamos**	Viv **íamos**
Trabaj **abais**	Com **íais**	Viv **íais**
Trabaj **aban**	Com **ían**	Viv **ían**

e.g.	Trabaj**aba** con mi padre.	I used to work with my father.
	Siempre com**íamos** juntos.	We always used to eat together.
	Mis amigos viv**ían** en Perú.	My friends were living / used to live in Peru.

▼ **IRREGULAR VERBS** (*Unidades* 1, 3, 5, 7, 8, 9)

Present	Preterite	Future	Imperfect
Conocer: *to know*			
conozco	conocí	conoceré	conocía
conoces	*etc.*	*etc.*	*etc.*
conoce			
conocemos			
conocéis			
conocen			

Present	Preterite	Future	Imperfect	Present	Preterite	Future	Imperfect
Dar: *to give*				**Querer:** *to want, to love*			
doy	**di**	daré	daba	**quiero**	*see strong*	**querré**	quería
das	**diste**	*etc.*	*etc.*	**quieres**	*preterite*	**querrás**	*etc.*
da	**dio**			**quiere**		**querrá**	
damos	**dimos**			queremos		**querremos**	
dais	**disteis**			queréis		**querréis**	
dan	**dieron**			**quieren**		**querrán**	
Decir: *to say*				**Saber:** *to know*			
digo	*see strong*	diré	decía	**sé**	*see strong*	**sabré**	sabía
dices	*preterite*	*etc.*	*etc.*	sabes	*preterite*	**sabrás**	*etc.*
dice				sabe		**sabrá**	
decimos				sabemos		**sabremos**	
decís				sabéis		**sabréis**	
dicen				saben		**sabrán**	
Estar: *to be*				**Salir:** *to go out, to leave*			
estoy	*see strong*	estaré	estaba	**salgo**	salí	**saldré**	salía
estás	*preterite*	*etc.*	*etc.*	sales	*etc.*	**saldrás**	*etc.*
está				sale		**saldrá**	
estamos				salimos		**saldremos**	
estáis				salís		**saldréis**	
están				salen		**saldrán**	
Ir: *to go*				**Ser:** *to be*			
voy	**fui**	iré	**iba**	soy	**fui**	seré	**era**
vas	**fuiste**	*etc.*	**ibas**	eres	**fuiste**	*etc.*	**eras**
va	**fue**		**iba**	es	**fue**		**era**
vamos	**fuimos**		**íbamos**	somos	**fuimos**		**éramos**
vais	**fuisteis**		**ibais**	sois	**fuisteis**		**erais**
van	**fueron**		**iban**	son	**fueron**		**eran**
Poder:	*to be able, can*			**Tener:** *to have*			
puedo	*see strong*	**podré**	podía	**tengo**	*see strong*	**tendré**	tenía
puedes	*preterite*	**podrás**	*etc.*	**tienes**	*preterite*	**tendrás**	*etc.*
puede		**podrá**		**tiene**		**tendrá**	
podemos		**podremos**		tenemos		**tendremos**	
podéis		**podréis**		tenéis		**tendréis**	
pueden		**podrán**		**tienen**		**tendrán**	
Poner: *to put*				**Traer:** *to bring*			
pongo	*see strong*	**pondré**	ponía	**traigo**	*see strong*	traeré	traía
pones	*preterite*	**pondrás**	*etc.*	traes	*preterite*	*etc.*	*etc.*
pone		**pondrá**		trae			
ponemos		**pondremos**		traemos			
ponéis		**pondréis**		traéis			
ponen		**pondrán**		traen			

Present	Preterite	Future	Imperfect

Venir: *to come*

vengo	*see strong*	**vendré**	venía
vienes	*preterite*	**vendrás**	*etc.*
viene		**vendrá**	
venimos		**vendremos**	
venís		**vendréis**	
vienen		**vendrán**	

Ver: *to see*

veo	**vi**	veré	**veía**
ves	**viste**	*etc.*	**veías**
ve	**vio**		**veía**
vemos	**vimos**		**veíamos**
veis	**visteis**		**veíais**
ven	**vieron**		**veían**

▼ Radical-changing verbs (*Unidades* 8, 9)

These verbs have a spelling change in the stem (or root) of the verb.

o to ue	u to ue	e to ie	e to i
soler	**jugar**	**pensar**	**pedir**
s**ue**lo	j**ue**go	p**ie**nso	p**i**do
s**ue**les	j**ue**gas	p**ie**nsas	p**i**des
s**ue**le	j**ue**ga	p**ie**nsa	p**i**de
solemos	jugamos	pensamos	pedimos
soléis	jugáis	pensáis	pedís
s**ue**len	j**ue**gan	p**ie**nsan	p**i**den

▼ Gerund (*Unidad* 16)

The gerund endings are: **-ando** for **-ar** verbs and **-iendo** for **-er** and **-ir** verbs.

The Present Continuous tense is formed by putting the present of **estar** in front of the gerund.

Estar	Trabaj **ar**	Com **er**	Viv **ir**
Estoy	Trabaj **ando**	Com **iendo**	Viv **iendo**

e.g. **Estamos** trabaj**ando**. We are working.

The Imperfect Continuous tense is formed by putting the imperfect of **estar** in front of the gerund.

Estar	Trabaj **ar**	Com **er**	Viv **ir**
Estaba	Trabaj **ando**	Com **iendo**	Viv **iendo**

e.g. ¿**Estabas** com**iendo**? Were you eating?

▼ Impersonal verbs e.g. gustar, quedar, faltar, sobrar (*Unidades* 5, 9, 15)

These verbs work 'back to front'. The person to whom they refer is indicated by the indirect object pronoun. To form the plural add **n** to the verb. To form the negative add **no** before the pronoun.

e.g.

Me **gusta** el chocolate.	I like chocolate (chocolate pleases me).
Les **quedan** dos botellas.	They've two bottles left.
Nos **faltan** los libros.	We need the books.
No me **sobran** sellos.	I've no spare stamps.

▼ Uses of ser, estar and haber (hay)

Ser (*Unidad 1*) is used for permanent states and telling the time.

e.g. Soy inglés.
Son las dos.

Estar (*Unidad 3*) is used for temporary states, and to talk about position, even when the position is permanent.

e.g. Estoy contenta.
Madrid está en España.

Hay (*Unidad 4*) is used to express *there is*, *there are*, *is there?* and *are there?*.

▼ Conocer/Saber (Unidad 6) (See irregular verbs.)

Both of these verbs mean *to know*.

Conocer is to know a person or a place.

e.g.

Conozco Barcelona.	I know Barcelona.
¿**Conoces** a mi hermana?	Do you know my sister?

Saber is to know a fact or how to do something.

e.g.

No **sé** tu nombre.	I don't know your name.
¿**Sabes** jugar al tenis?	Can you play tennis?

Uses of tener que, hay que (*Unidades* 7, 18)

All of these express the need to do something and are followed by an infinitive.

Tener que: *to have to*:

e.g.

Tengo que estudiar.	I have to study.
Tienes que comer.	You have to eat,
etc.	

Hay que: *one has to/you have to*:

e.g.

Hay que estudiar.	One has to/you have to study.

▼ Al + infinitive (*Unidad* 14)

This structure is the equivalent of the English *on …ing*.

| e.g. | **Al entrar** vi a mi amigo. | On entering, I saw my friend. |
| | **Al salir** de casa empezó a llover. | When I left home it started to rain. |

▼ Imperative (*Unidades* 3, 8, 16)

This expresses commands.

Regular verbs		Formal commands		Informal commands	
	Infinitive	Usted	Ustedes	Tú	Vosotros
-ar	mirar *to look*	mir**e**	mir**en**	mir**a**	mir**ad**
-er	beber *to drink*	beb**a**	beb**an**	beb**e**	beb**ed**
-ir	seguir *to continue*	sig**a**	sig**an**	sig**ue**	segu**id**

▼ Irregular verbs

Verbs for which the first person present has an irregular stem and the ending is **-o** use the irregular stem to make formal commands.

Infinitive	1st person	Command			
	Present tense	Usted	Ustedes	Tú	Vosotros
conocer *to know*	conozc**o**	**conozca**	conozc**an**	conoce	conoced
decir *to say*	dig**o**	dig**a**	dig**an**	**di**	decid
hacer *to do*	hag**o**	hag**a**	hag**an**	**haz**	haced
oir *to listen*	oig**o**	oig**a**	oig**an**	**oye**	oíd
poner *to put*	pong**o**	pong**a**	pong**an**	**pon**	poned
salir *to leave*	salg**o**	salg**a**	salg**an**	**sal**	salid
tener *to have*	teng**o**	teng**a**	teng**an**	**ten**	tened
venir *to come*	veng**o**	veng**a**	veng**an**	**ven**	venid
volver *to return*	vuelv**o**	vuelv**a**	vuelv**an**	**vuelve**	volved

To form the negative imperative:

Regular verbs		Formal commands		Informal commands	
	Infinitive	Usted	Ustedes	Tú	Vosotros
-ar	mirar *to look*	no mire	no miren	no mires	no miréis
-er	comer *to eat*	no coma	no coman	no comas	no comáis
-ir	subir *to go up*	no suba	no suban	no subas	no subáis

▼ Other irregular verbs:

Infinitive	Present Tense	Imperative			
		Usted	Ustedes	Tú	Vosotros
dar *to give*	doy	**dé**	**den**	**da**	dad
estar *to be*	estoy	**esté**	**estén**	**está**	estad
ir *to go*	voy	**vaya**	**vayan**	**ve**	id
ser *to be*	soy	**sea**	**sean**	**sé**	sed

▼ Negatives (*Unidad* 6)

Verbs are made negative by putting **no** before them:

| e.g. | Trabajo. I work. | **No** trabajo. I don't work. |

Other negative expressions are:

| **nada** | nothing | **tampoco** | not either, neither |
| **nadie** | nobody, no-one | **nunca/jamás** | never |

Ningún/ ninguno – *not any, none*. (It drops the **o** and gains an accent on the **u** with a masculine singular noun, e.g. **ningún amigo**.)

▼ Pronouns

	Subject	Reflexive	Direct object	Indirect object
	(Unidad 4)	(Unidades 7, 9)	(Unidad 10)	(Unidad 11)
I	Yo	me	me	me
you	tú	te	te	te
he	él	se	le/lo	le
she	ella	se	la	le
it	él, ella	se	lo	le
you	usted	se	lo/la	le
we	nosotros	nos	nos	nos
you	vosotros/as	os	os	os
they	ellos	se	les/los	les
they	ellas	se	las	les
you	ustedes	se	les/los/las	les

After prepositions such as **con**, **para**, **cerca de**, the subject pronoun is used, but **yo** and **tú** become **mí** and **ti**. Note that **mí** and **ti** always combine with con as follows:

conmigo   with me   **contigo**   with you

▼ Possessive pronouns (*Unidad* 5)

These express *mine, yours, his, hers,* etc.

	Singular		Plural	
	Masculine	Feminine	Masculine	Feminine
mine	el mío	la mía	los míos	las mías
yours (*tú*)	el tuyo	la tuya	los tuyos	las tuyas
his/hers/yours				
(*usted*)	el suyo	la suya	los suyos	las suyas
ours	el nuestro	la nuestra	los nuestros	las nuestras
yours (*vosotros*)	el vuestro	la vuestra	los vuestros	las vuestras
theirs/yours				
(*ustedes*)	el suyo	la suya	los suyos	las suyas

▼ Demonstrative pronouns (*Unidad* 5)

	this one, these ones	that one, those ones (near you)	that one, those ones (over there)
Masc. sing.	éste	ése	aquél
Fem. sing.	ésta	ésa	aquélla
Masc. plur.	éstos	ésos	aquéllos
Fem. plur.	éstas	ésas	aquéllas

▼ Relative pronouns 'que' and 'lo que' (*Unidad* 14)

Que is used to express *who, which* and *whom*. Athough in English the relative pronoun is often omitted, it must always be used in Spanish.

e.g.	La chica **que** estudia español.	The girl who studies Spanish.
	El autobús **que** va a la playa.	The bus which goes to the beach.
	El hombre **que** ves es mi marido.	The man (whom) you see is my husband.

Lo que translates *what* in a statement:

No sé **lo que** hace.   I don't know what he does.

▼ Interrogatives (*Unidad* 9)

¿Cómo?	How?	¿Cuál? ¿Cuáles?	Which one? Which ones?
¿Cuándo?	When?	¿Cuánto/a/os/as?	How much/How many?
¿Dónde?	Where?	¿Adónde?	Where to?
¿Por qué?	Why?	¿De dónde?	Where from?
¿Para qué?	What for?	¿Qué?	What? Which?
¿De quién?	Whose?		

▼ Adjectives (*Unidades* 2, 3)

Adjectives normally follow the noun(s) or pronoun(s) they describe, and agree in number (singular/plural) and gender (masculine/feminine).

Adjectives ending in **-o**:

	Masculine	Feminine
Singular	blanc**o**	blanc**a**
Plural	blanc**os**	blanc**as**

Adjectives ending in **-e** and most adjectives ending in a consonant do not change when feminine:

	Masculine	Feminine
Singular	verd**e**	verd**e**
Plural	verd**es**	verd**es**
Singular	azul	azul
Plural	azul**es**	azul**es**

▼ Adjectives of nationality (*Unidad* 13)

When these end in a consonant in the masculine singular, add **-a** to form the feminine. They add **-es** to form the masculine plural, and **-as** to form the feminine plural:

	Masculine	Feminine
Singular	españ**ol**	españ**ola**
Plural	españ**oles**	españ**olas**

Notice that adjectives of nationality are written without capital letters in Spanish.

Some adjectives end in **-a** regardless of gender. These take **-s** to form the plural, as do **all** adjectives ending in **-ista**, e.g. *el* social**ista**, *los* social**istas**, *la* social**ista**, *las* social**istas**.

▼ Comparative/Superlative adjectives (*Unidad* 6)

The comparative is formed by placing **más** before the adjective, and the superlative is formed by adding **el, la, los,** or **las**.

Positive		Comparative		Superlative	
Masc. sing	rico rich	más rico richer	el más rico **richest**
Fem. sing.	rica	más rica	la más rica
Masc. plural	ricos	más ricos	los más ricos
Fem. plural	ricas	más ricas	las más ricas

There are four adjectives which have irregular comparatives and superlatives.

Positive		Comparative		Superlative		
bueno	good	mejor(es)	better	el/la mejor	– los/las mejores	best
malo	bad	peor(es)	worse	el/la peor	– los/las peores	worst
grande	large	mayor(es)	older	el/la mayor	– los/las mayores	oldest
pequeño	small	menor(es)	younger	el/la menor	– los/las menores	youngest

NB **Grande** and **pequeño** are used in the regular form to express size (e.g. **más grande**), and in the irregular form to express age (e.g. **mayor**).

▼ SPECIAL ADJECTIVES (*Unidad* 4)

There are some adjectives which lose the final **o** when placed before a masculine singular noun.

bueno, **buen**; malo, **mal**; primero, **primer**; tercero, **tercer**; alguno, **algún**; ninguno, **ningún**

e.g. el **primer** día the first day

And some adjectives change their meaning according to their position. **Grande** becomes **gran** before a singular masculine or feminine noun:

e.g. un hombre **grande** a tall man
      un **gran** hombre a great man

▼ POSSESSIVE ADJECTIVES (*Unidad* 5)

These agree with the number (singular/plural) and gender (masculine/feminine) of the noun:

mi/mis	my
tu/tus	your (**tu**)
su/sus	his, her, its, your (**usted**)
nuestro/nuestra/nuestros/nuestras	our
vuestro/vuestra/vuestros/vuestras	your (**vosotros**)
su/sus	their, your (**ustedes**)

▼ DEMONSTRATIVE ADJECTIVES (*Unidad* 4)

	this, these	that, those (near you)	that, those (over there)
Masc. sing.	**este**	**ese**	**aquel**
Fem. sing.	**esta**	**esa**	**aquella**
Masc. plur.	**estos**	**esos**	**aquellos**
Fem. plur.	**estas**	**esas**	**aquellas**

▼ PARA AND POR (*Unidad* 15)

Para is used to express destination, objective, purpose, intention, or a point in future time.

e.g. ¿Es el tren **para** Madrid? Is it the train for Madrid? (destination)

Café **para** todos. Coffee for everyone. (objective)

¿**Para** qué quieres dinero? What do you want money for? (purpose)

¡Quiero dinero **para** gastar! I want money to spend! (intention)

Tengo una cita **para** el lunes. I have an appointment for Monday. (time)

Por is used to express source (by, through, for), exchange, on behalf of, a unit of measure or number, and a period of time.

e.g. Fue escrito **por** José. It was written by José.
      Entramos **por** la puerta principal. We enter through the main door.
      ¡Lo hago **por** ti! I do it for you!
      Estudio dos días **por** semana. I study two days per week.
      Hemos vivido aquí **por** mucho tiempo. We've lived here for a long time.

▼ PERSONAL 'A' (*Unidad* 11)

When the direct object of a sentence is a person, **a** is placed before the person.

e.g. Veo **a** Juan. I see Juan.

However, it is never used after the verb **tener**.

GLOSSARY
Spanish–English

A

a	to
abogado(-a)	lawyer
aclarar	to clarify
a continuación	next; shortly
a la plancha	grilled
a menudo	often
a partir de	starting from
a pie	on foot
a propósito	by the way
abajo	downstairs
abogado m	lawyer
abreviatura f	abbreviation
abril	April
abuela f	grandmother
abuelo m	grandfather
aburrido(-a)	boring
aburrirse	to get bored
acabar	to finish
acabar de	to have just
accidente m	accident
aceituna f	olive
aceptar	to accept
aconsejar	to advise
acordarse(ue)	to remember
acostarse(ue)	to go to bed
acostumbrado	used to
actividad f	activity
acusar	to acknowledge
adelantar	to progress; to overtake
además	besides, also
adiós	goodbye
adjuntar	to enclose
adolescente mf	adolescent
adónde?	where to?
aeropuerto m	airport
aficionado(-a) a	fond of
afueras fpl	outskirts
agencia de viajes f	travel agent's
agenda f	diary
agosto	August
agradable	pleasant
agradecer	to thank; to be grateful for
agua (el) f	water
aguacate m	avocado
agujero m	hole
ahora	now
aire acondicionado m	air conditioning
aire libre m	open air
ajo m	garlic
al final de	at the end of
al lado de	next to
al menos	at least
albergue juvenil m	youth hostel
albóndigas fpl	meat balls
alegrarse	to be delighted

alemán, alemana	German
algo	something
algunas veces	sometimes
alimentos mpl	food
alma f	soul
almuerzo m	lunch
alojamiento m	accommodation
alojar	to accommodate
alrededor de	around
alto(-a)	high; tall
ama de casa f	housewife
amable	kind
amarillo(-a)	yellow
amigo(-a)	friend
andaluz, andaluza	from Andalucía
animarse	to cheer up
año m	year
antes de	before
anular	to cancel
aparato doméstico m	household appliance
aparcamiento m	car park
apellido m	surname
aperitivo m	aperitif
apetecer	to fancy
aprender	to learn
apretado	tight
aprobar(ue)	to pass
apropiado(-a)	appropriate
aprovechar	to take advantage of
apuntar	to note down
aquel	that
aquél	that one
aquí	here
árbol m	tree
árbol genealógico m	family tree
arquitecto m	architect
arreglarse	to get oneself ready; to tidy oneself up
arriba	upstairs
arte m	art
artes fpl	the arts
artículo m	article
artista mf	artist
asado(-a)	roast
ascensor m	lift
aseo m	cloakroom; toilet
asignatura f	subject
asistente m, asistenta f	cleaner
asistir	to attend
asociación f	partnership
asunto m	matter
Atentamente	Yours faithfully
atleta mf	athlete
atletismo m	athletics
atún m	tuna
autobús m	bus
autocar m	coach
autónomo	self-governing
autopista f	motorway
avanzado	advanced

avería f	breakdown
aviso de recibo m	notice of receipt
ayuntamiento m	town hall
azafata f	air hostess
azul	blue

B

bailar	to dance
baile m	dance
bajo	low; short
baldosa f	floor tile
bañador m	bathing costume
banco m	bank
baño m	bath
bar m	bar
barato(-a)	cheap
barba f	beard
barbacoa f	barbecue
barco m	ship, boat
barra f	loaf; bar
barrio m	district
bastante	quite; enough
batir	to beat
Bélgica	Belgium
beso m	kiss
bicho m	bug
bicicleta f	bicycle
bien	well; good
bienvenido	welcome
bigote m	moustache
billete m	ticket
bistec m	steak
bisutería f	cheap jeweller's
blanco	white
boca f	mouth
bocadillo m	sandwich
boda f	wedding
bolsa f	bag
bolso m	handbag
bombero m	fireman
bonito(-a)	pretty
boquerones mpl	anchovies
botella f	bottle
brazo de gitano m	swiss roll
buenas noches	good evening
buenas tardes	good afternoon
bueno(-a)	good
buenos días	good morning
buscar	to look for

C

cacahuetes mpl	peanuts
caer	to fall
café m	coffee; café
cafetería f	cafeteria
caja fuerte f	safety box
cajero automático m	cash dispenser
calamares mpl	squid
caldo m	broth, clear soup
calefacción f	heating
calentar(ie)	to warm up
calidad f	quality

m = masculine   f = feminine   mpl = masculine plural   fpl = feminine plural

calor m	heat	ciudad f	city; town	cuánto?	how much?
calvo(-a)	bald	claro	clear; of course	cuántos?	how many?
calzar	to take (size of shoes)	clase f	class	cuarenta	forty
		clásico(-a)	classical	cuarto(-a)	fourth
cama f	bed	clausura f	closing ceremony	cuarto m	room; quarter
camarero m	waiter	clima m	climate	cuarto de baño m	bathroom
cambiar	to change; to exchange	clínica f	clinic	cuatro	four
		club m	club	cuenta f	bill
cambio m	change	coche m	car	cuerpo m	body
camiseta f	T-shirt	cocina f	kitchen	cuidado m	care
camping m	campsite	coger	to catch	¡cuidado!	careful!
campo de golf m	golf course	coleccionar	to collect	cultivar	to grow
caña f	draught beer	coliflor f	cauliflower	cumpleaños m	birthday
cancelar	to cancel	color m	colour	cura m	priest
canción	song	columpio m	swing	curiosidad f	curiosity
cansado(-a)	tired	comedor m	dining room	curioso(-a)	curious
cantante mf	singer	comer	to eat	curso m	course
cara f	face	comida f	meal; food		
caramba!	Heavens!	comisaría f	police station		
carne f	meat	como	as; like	**D**	
carnet de identidad m	identity card	cómo?	how?		
carnicería f	butcher's	comodidades fpl	comforts	de	of; from
caro(-a)	expensive	cómodo(-a)	comfortable	de acuerdo	agreed
carretera f	road	compañía f	company	de lujo	luxury
carta f	letter, menu	compartir	to share	de maravilla	wonderfully
cartelera f	entertainments guide	complacerse en	to take pleasure in	de momento	at the moment
		completar	to complete	de nada	not at all
cartera f	wallet	completo(-a)	full	de oferta	on offer
cartero m	postman	comprar	to buy	de todos modos	anyway
casa f	house	compras fpl	purchases	de vacaciones	on holiday
casado(-a)	married	comprender	to understand	deber	to have to; must
casarse con	to marry	comunicar	to inform; to communicate	deberes mpl	homework
casi	almost			debidamente	duly
casualidad f	coincidence	comunidad f	community	décimo(-a)	tenth
catedral f	cathedral	con	with	decir	to say; to tell
catorce	fourteen	coñac m	brandy	dejar	to leave; to let
cebolla f	onion	concertar	to arrange	dejar de	to fail to
celebrar	to celebrate	confirmar	to confirm	delegado(-a) m(f)	representative
cena f	evening meal	conmigo	with me	delicioso(-a)	delicious
centro m	centre	conocer	to know	demasiado	too
cerdo m	pork	conseguir(i)	to obtain	dentista mf	dentist
cero	zero	consejo m	advice	denuncia f	report for police
cerrado(-a)	closed	construido	built	depender	to depend
certificado(-a)	registered (post)	contestación f	answer	dependiente(-a) m(f)	shop assistant
cerveza f	beer	contigo	with you	deporte m	sport
chalet m	detached house	continuar	to continue	derecha f	right
champiñones mpl	mushrooms	contra	against	desarrollo m	development
charlar	to chat	contra reembolso	cash on delivery	desastre m	disaster
cheque de viaje m	traveller's cheque	copa f	glass; drink	desayuno m	breakfast
chica f	girl	copiar	to copy	descafeinado m	decaffeinated coffee
chico m	boy	corazón m	heart	descanso m	break; rest
chimenea f	fireplace	cordero m	lamb	descuento m	discount
chiste m	joke	correcto	correct	desde	since; from
chuleta f	chop	Correos	post office	desear	to wish
ciclismo m	cycling	corriente	running	deseo m	wish
cielo m	sky	corto(-a)	short	después de	after
ciento	hundred	cosa f	thing	destinatario m	addressee
cinco	five	costar(ue)	to cost	detallado(-a)	detailed
cincuenta	fifty	creer	to believe	detalle m	detail
cine m	cinema	crimen m	crime	detrás de	behind
cinturón m	belt	cruasán m	croissant	devolver(ue)	to give back
circuito m	tour	crucigrama m	crossword puzzle	día m	day
cita f	appointment	cruzar	to cross	diálogo m	dialogue
citarse	to make an appointment	cuál(es)?	which?; what?	diario	daily
		cuando	when	diario m	diary
				dibujar	to draw

dibujo m	drawing
dibujo animado m	cartoon
diciembre	December
diecinueve	nineteen
dieciocho	eighteen
dieciséis	sixteen
diecisiete	seventeen
diente m	tooth
dieta f	diet
diez	ten
Dinamarca	Denmark
dinero m	money
dirección f	address; direction
disco m	record
discoteca f	discotheque
disfrutar	to enjoy
divertido(-a)	amusing
doble	double
doce	twelve
domingo	Sunday
dominó m	dominoes
donde	where
donut m	doughnut
dormitorio m	bedroom
dos	two
droguería f	drugstore
ducha f	shower
ducharse	to shower
dudoso(-a)	dubious
durante	during
duro(-a)	hard

E

e	and
edificado(-a)	built
Edimburgo	Edinburgh
ejemplo m	example
ejercicio m	exercise
él	he
electricidad f	electricity
electricista m	electrician
electroméstico m	household appliance
elegante	elegant
ella	she
ellos(-as)	they
empanadilla f	pasty
emparejar	to match
empresa f	firm
en	in; on; at
en casa	at home
en punto	on the dot
en seguida	at once
encantar	to enchant
encender(ie)	to light
encuesta f	survey
energía f	energy
enero	January
enfadarse	to get angry
enfermero(-a) m(f)	nurse
enfrente	opposite
ensalada f	salad
ensaladilla f	Russian salad
enseñar	to show

entender(ie)	to understand
entero(-a)	whole
entonación f	intonation
entonces	then
entrada f	entrance; ticket; deposit
entre	between
enviar	to send
envidia f	envy
envolver(ue)	to wrap up
equivocarse	to make a mistake
error m	mistake
escala f	stop-over
escocés, escocesa	Scottish
Escocia	Scotland
escribir	to write
escuchar	to listen
ese	that
ése	that one
esgrima f	fencing
espacio	space
España	Spain
español	Spanish
especial	special
esperar	to wait; to hope
esquí m	skiing
esquina f	street corner
estación f	station; season
estanco m	tobacconist's
estar	to be
estar en camino	to be on one's way
estatua f	statue
este	this
éste	this one
este m	east
estómago m	stomach
estrella f	star
estrés m	stress
estudiar	to study
estufa eléctrica f	electric fire
estupendo(-a)	marvellous
europeo(-a)	European
exactamente	exactly
examen m	examination
excelente	excellent
excursión f	excursion
éxito m	success
exposición f	exhibition
extranjero(-a)	foreign
extraño(-a)	strange

F

facultad f	university
falso(-a)	false
faltar	to lack
familia f	family
famoso(-a)	famous
farmacia f	chemist's
favorito(-a)	favourite
febrero	February
fecha f	date
felicidades	best wishes
felicitar	to congratulate
feliz	happy

fenomenal	marvellous
feria f	trade fair
ferretería f	hardware store
ficha f	record card
fiesta f	festival; party
filosofía f	philosophy
fin m	end
finca f	farm
firmar	to sign
flan m	creme caramel
folleto m	leaflet
fondo m	bottom
fontanero m	plumber
formulario m	form
fotografía f	photograph; photography
francamente	frankly
francés, francesa	French
frase f	sentence
frase clave f	key sentence
fresa f	strawberry
fresco(-a)	fresh; cool
frío(-a)	cold
fruta f	fruit
frutería f	fruit shop
fuego m	fire
fuera	away from home; out of doors
fuera de	outside
fumador(-a)	smoking (area)
fumar	to smoke
funcionar	to work; to function
fútbol m	football

G

gallego(-a)	Galician
gambas fpl	prawns
ganar	to earn; to win
garantía f	guarantee
garantizado(-a)	guaranteed
gemelos mpl	twins
generoso(-a)	generous
genial	brilliant
gimnasia f	gymnastics
gordo(-a)	fat
grabación f	recording
gracias	thank you
gráfico	graphic
grande	big
grandes almacenes mpl	department store
granjero m	farmer
grasa f	fat
gratis	free (non-paying)
Grecia	Greece
griego(-a)	Greek
gris	grey
guapo(-a)	good-looking
guay!	cool!
guía f	guide(book)
guitarra f	guitar
gustar	to please
gusto m	taste; pleasure

H

haber	to have (see *Unidad 12*)
habitación f	room
hablar	to speak
hace (+ *time*)	ago
hacer	to make; to do
hacia	towards
harina f	flour
hasta	until; as far as
hasta luego	see you soon
hay	there is; there are
helado m	ice-cream
heredero m	heir
hermana f	sister
hermano m	brother
hija f	daughter
hijo m	son
hija f	daughter
hijo(-a) único(-a)	only child
hipoteca f	mortgage
hispánico(-a)	Hispanic
historia f	history; story
hogar m	home
¡hola!	hello!
Holanda f	Holland
hombre m	man
hombre de negocios m	businessman
hombro m	shoulder
hora f	time; hour
horario m	timetable
hospital m	hospital
hostal m	(modest) hotel
hotel m	hotel
hoy en día	nowadays
hoyo m	hole
huerta f	vegetable garden
huevo m	egg
huy!	oh!

I

ida	single (ticket)
ida y vuelta	return (ticket)
idea f	idea
ideal	ideal
idioma m	language
igual	the same; equal
impreso m	printed matter
inaguantable	unbearable
inauguración f	opening
incluido(-a)	included
incluir	to include
indicar	to indicate
individual	single
información f	information
informática f	information technology
informe m	report
ingeniero(-a)	engineer
inglés, inglesa	English
instantáneo(-a)	instant
intentar	to try
intercambio m	exchange

interés m	interest
interesar	to interest
intérprete mf	interpreter
invierno m	winter
ir	to go; to suit
ir de tiendas	to go shopping
irlandés, irlandesa	Irish
irse	to go away
italiano(-a)	Italian
IVA m	VAT
izquierda f	left

J

jamón m	ham
japonés, japonesa	Japanese
jardín m	garden
joven	young
joyería f	jeweller's
jubilado	retired
jueves	Thursday
jugar(ue)	to play
julio	July
junio	June
juntos(-a)	together

K

kilómetro m	kilometre

L

lado m	side
langosta f	lobster
largo(-a)	long
lástima f	pity
lata f	tin; can
lavaplatos m	dishwasher
lavar	to wash
leche f	milk
lechuga f	lettuce
leer	to read
lejos de	far from
lengua f	language
lento(-a)	slow
letra f	handwriting
levantarse	to get up
libra esterlina f	pound sterling
libre	free
librería f	bookshop
libro m	book
limitado(-a)	limited
limón m	lemon
limpiar	to clean
línea f	line; figure
líquido m	liquid
lista f	list
litera f	bunk, berth
llamarse	to be called
llave f	key
llegada f	arrival
llegar	to arrive
llegar a	to manage to
lleno(-a)	full
llorar	to cry; to weep
llover(ue)	to rain
lluvia f	rain

locutor m	announcer
locutorio m	public phone booths
Londres	London
lotería f	lottery
lucha libre f	wrestling
lugar m	place
lunes	Monday

M

maceta f	flower pot; flower bed
madre f	mother
madrileño	of Madrid
maduro	ripe
maestro m	schoolmaster
magnífico	magnificent
mal	badly; bad
malo(-a)	bad
mañana	tomorrow; morning
mandar	to send
mano f	hand
máquina f	machine
mar m	sea
maravilla f	wonder
marcharse	to leave
marido m	husband
mariscos mpl	seafood
marrón	brown
Marruecos	Morrocco
martes	Tuesday
marzo	March
más	more; plus
mayo	May
mayor	eldest; biggest
mediano(-a)	medium
medianoche f	midnight
medio(-a)	half
mediodía m	midday
mejillones mpl	mussels
mejor	better; best
mejorar	to improve
melón m	melon
menaje m	household
menor	youngest; smallest
menos	less
mentir(i)	to tell lies
menú del día m	set menu
mercado m	market
mes m	month
mesa f	table
meter	to put in
mezcla f	mixture
mi	my
microondas m	microwave oven
miembro m	member
mientras	while
mientras tanto	meanwhile
miércoles	Wednesday
mil	thousand
millonario(-a)	millionaire
minuto m	minute
mío(-a)	mine
mirar	to look (at)

mismo(-a)	same; very	número m	number; size (shoes)	paseo m	stroll
mitad f	half	nunca	never	pasión f	passion
mixto(-a)	mixed			paso m	step
modalidad f	method	**O**		pastel m	cake
moderno(-a)	modern			pastelería f	patisserie
molestar	to bother; to annoy	o	or	patio m	courtyard
momento m	moment	o sea	that is to say	pedir(i)	to ask for; to order
moneda f	coin; currency	objetivo m	objective	pedir(i) prestado	to borrow
monedero m	purse	obra f	play	película f	film
montaña f	mountain	ocasión f	opportunity; occasion	pelo m	hair
monumento m	monument			peluquero(-a)	hairdresser
moqueta f	fitted carpet	ochenta	eighty	pensar(ie)	to think
moreno(-a)	dark-haired	ocho	eight	pensión f	board; boarding-house
morir(ue)	to die	octavo(-a)	eighth		
mostrar(ue)	to show	octubre	October	peor	worse; worst
muchas veces	often	ocupado(-a)	busy	pepino m	cucumber
mucho	much; a lot	ocuparse de	to look after	pequeño(-a)	small
muchos(-as)	many	odiar	to hate	perezoso(-a)	lazy
muebles mpl	furniture	oeste m	west	perfecto(-a)	perfect
mujer f	woman; wife	oficina f	office	periódico m	newspaper
muñeca f	wrist; doll	oir	to hear	periodista mf	journalist
museo m	museum	ojo m	eye	pero	but
música f	music	once	eleven	perro m	dog
muy	very	ópera f	opera	persianas fpl	blinds
Muy señor mío	Dear sir	opinión f	opinion	persona f	person
Muy señora mía	Dear madam	orden m	order	pesas fpl	weightlifting
		ordenador m	computer	pescado m	fish
		oreja f	ear	picante	spicy
N		otoño m	autumn	pie m	foot
		otro(-a)	other; another	piel f	leather; skin
nacionalidad f	nationality			pieza f	piece
nada	nothing; not at all	**P**		pimiento m	pepper
nadar	to swim			pincho m	small portion
nadie	no-one	padre m	father	pincho moruno m	pork kebab
naranja f	orange	padres mpl	parents	piscina f	swimming-pool
nariz f	nose	pagar	to pay	piso	floor, storey; flat
natación f	swimming	pago m	payment	placer m	pleasure
necesitar	to need	país m	country	plan m	plan
negro(-a)	black	País de Gales	Wales	planchar	to iron
nervioso(-a)	upset	pájaro m	bird	planta f	floor (storey)
nevar(ie)	to snow	palabra f	word	plástico(-a)	plastic
nevera f	fridge	pan m	bread	plátano m	banana
niebla f	fog	panadería f	baker's	plato m	dish
nieta f	granddaughter	panecillo m	bread roll	playa f	beach
nieto m	grandson	pantalones mpl	trousers	plaza f	town square; seat
ninguno(-a)	none; no	papelería f	stationer's	plaza de toros f	bullring
no	no; not	par m	pair	pobre	poor
noche f	night	para	for; in order to	poder(ue)	to be able to; can
nombre m	name	parada f	bus-stop	policía f	police
norte m	north	parador m	luxury hotel	pollo m	chicken
Noruega f	Norway	paraguas m	umbrella	polvo m	powder; dust
nosotros(-as)	we	paralelo(-a)	parallel	poner	to put; to put on
nota f	note; mark	parcela f	plot of land	ponerse	to become; to put on
noticias fpl	news	paréntesis m	brackets		
noveno(-a)	ninth	pariente mf	relation	por	by; through; per
noventa	ninety	parking m	carpark	por allí	around there
novia f	fiancée, girlfriend	parque m	park	por aquí	this way; around here
noviembre	November	parque infantil m	children's playground		
novio m	fiancé, boyfriend			por ejemplo	for example
nube f	cloud	parte f	part	por eso	therefore
nublado	cloudy	partido m	match	por favor	please
nuestro	our; ours	pasaporte m	passport	por fin	at last
Nueva Zelanda f	New Zealand	pasar	to pass, to spend; to happen	por lo general	generally
nueve	nine			por qué?	why?
nuevo(-a)	new	pasarlo bien	to have a good time	porque	because

postal f	postcard	recoger	to pick up	seis	six
postre m	dessert	recomendar(ie)	to recommend	sello m	stamp
precio	price	recordar(ue)	to remember	semáforo m	traffic-lights
preferir(i)	to prefer	redondo(-a)	round	semana f	week
presión f	pressure	refescar	to refresh	señal f	sign; signal
primero(-a)	first	refrán m	proverb	señor	gentleman; Mr
primo(-a)	cousin	regalo m	gift	señora	lady; wife; Mrs
princesa f	princess	región f	region	señorita	young lady; Miss
príncipe m	prince	regresar	to return	sentado(-a)	seated
privado(-a)	private	regreso m	return	sentir(ie)	to feel; to regret
probar(ue)	to try on; to try to	reina f	queen	septiembre	September
problema m	problem	reir(i)	to laugh	séptimo(-a)	seventh
profesión	profession, job	relámpago m	lightning	ser	to be
profesor(a) m(f)	teacher	relámpago de chocolate	éclair	serrano	naturally cured
programa m	programme	rellenar	to fill in	servicio m	service; toilet
prohibido(-a)	forbidden	relleno(-a)	stuffed	servir(i)	to serve; to be used
pronóstico m	forecast	reloj m	clock; watch		for
pronunciación f	pronunciation	remitente mf	sender	sesenta	sixty
propina f	tip	remo m	rowing	setenta	seventy
próximo(-a)	next	RENFE f	Spanish Railways	sexto(-a)	sixth
publicidad f	advertisement	reparar	to repair	si	if
pueblo m	town; village	repetir(i)	to repeat	sí	yes
puente m	bridge	reserva f	reservation	siempre	always
puerto m	harbour	reservar	to reserve	sierra f	mountain range
pues ...	well ...	restaurante m	restaurant	siesta f	afternoon nap
puesto m	post, job	resuelto(-a)	resolved	siete	seven
puesto que	since, because	resumen m	summary	siguiente	following
pulpo m	octopus	revista f	magazine	sin	without
puntos cardinales mpl	points of the compass	rey m	king	sin embargo	however, nevertheless
		rico(-a)	rich	sino	but
		río m	river	sobrar	to be over
Q		robo m	robbery	¡socorro!	help!
que	which; that; than	rojo(-a)	red	sol m	sun
¿qué tal?	how are you? how is ...?	rompecabezas m	puzzle	soler(ue)	to be accustomed to
		ropa f	clothes		
¡qué va!	nonsense!	rosa	pink	solo(-a)	alone; black (coffee)
¿qué?	what?	rubio	blonde		
quedar	to remain	rutina f	routine	sólo	only
quedar con	to arrange to meet			soltero(-a)	single, unmarried
quedarse	to stay			sombra f	shade
queja f	complaint (informal)	**S**		sombrero m	hat
		sábado m	Saturday	sonreir(i)	to smile
querer(ie)	to want; to love	saber	to know; to be able	sopa f	soup
querido(-a)	dear	sabroso(-a)	tasty	sopa de letras f	wordsearch
queso m	cheese	sacar	to take out	su	his; her; its; their; your
quién?	who?	salchicha f	sausage		
quince	fifteen	sala de congresos f	conference-room	Suecia	Sweden
quinientos(-as)	five hundred	salida f	departure	suegra f	mother-in-law
quinto(-a)	fifth	salir	to go out	suegro m	father-in-law
quiosco m	kiosk	salón m	lounge	suelo m	floor
quisiera	I would like	salsa f	sauce	sueño m	dream
quizás	perhaps	salto alto m	high jump	suficiente	sufficient
		salto largo m	long jump	Suiza	Switzerland
		salud f	health	suplemento m	supplement
R		saludo m	greeting	suponer	to suppose
ración f	portion	sandalias fpl	sandals	sur m	south
radio f	radio	santo m	Saint's day	suyo	his; hers; theirs; yours
rápido(-a)	fast	sartén f	frying-pan		
real	royal	secador de pelo m	hair-drier		
recepción f	reception	sección f	section; department	**T**	
recepcionista mf	receptionist	seco(-a)	dry	tablero de secciones m	store guide
receta f	recipe	seguir(i)	to follow; to continue	taco m	snack
recibo m	receipt			talla f	size
recientemente	recently	segundo(-a)	second		
reclamación f	complaint (formal)	seguro(-a)	sure; safe		

talón m	heel		tres	three		

talón m — heel
también — also
tanto — so much
tantos(-as) — so many
tapa f — appetiser
taquilla f — position; ticket-window
tarde — late
tarde f — afternoon, evening
tarea f — chore
tarjeta de crédito f — credit card
tarro m — jar
tarta f — tart
taxista mf — taxi-driver
té m — tea
teatro m — theatre
telefonear — to telephone
teléfono m — telephone
televisión f — television
temer — to fear
temporada f — season
temprano — early
tendero(-a) — shopkeeper
tener — to have
tener calor — to be hot
tener frío — to be cold
tener hambre — to be hungry
tener prisa — to be in a hurry
tener que — to have to; must
tener razón — to be right
tener sed — to be thirsty
tenis m — tennis
tercero(-a) — third
terminar — to finish
terraza f — terrace
tía f — aunt
tiempo m — time; weather
tienda f — shop
tienda de comestibles f — grocer's
tinto — red (wine)
tío m — uncle
típico(-a) — typical
tipo m — type
tira f — strip
tiro m — shooting
tiro con arco m — archery
toalla f — towel
tobogán m — slide
todo(-a) — all; everything
todo recto — straight on
tomar — to take; to eat; to drink
tomate m — tomato
torcer(ue) — to twist; to turn
tormenta f — thunderstorm
tortilla f — omelette
trabajar — to work
trabalenguas m — tongue-twister
traer — to bring
trámites mpl — procedures
tranquilo(-a) — calm
trece — thirteen
treinta — thirty
tremendo(-a) — tremendous
tren m — train

tres — three
tu — your
tú — you
tuyo(a) — yours

U

u — or
último — last
unidad f — unit
universidad f — university
uno(-a) — one; a
urgente — urgent
usar — to use
usted(-es) — you
útil — useful
utilizar — to use
uva f — grape

V

vale — OK
vale m — voucher
valer — to be worth
valor m — value
vaqueros mpl — jeans
variar — to make a change
variedad f — variety
varios(-as) — several
vehículo m — vehicle
veinte — twenty
vela f — sailing
vender — to sell
venir — to come
ventaja f — advantage
ver — to see
verano m — summer
verdad — true
verdad? — isn't it?
verde — green
verdulería f — greengrocer's
verduras fpl — vegetables
vermú m — vermouth
vez f — time; occasion
viajar — to travel
viaje m — journey
vida f — life
vídeo m — video
viejo(-a) — old
viento m — wind
viernes — Friday
vigilado(-a) — guarded
vino m — wine
visita f — visit
visitar — to visit
vista f — view
vivienda f — housing
vivir — to live
volar — to fly
volver(ue) — to return
vosotros(-as) — you
vuelo m — flight
vuestro(-a) — your; yours

Y

y — and
ya — already
¡ya está! — that's it!
ya que — since, as
yate m — yacht
yerna f — daughter-in-law
yerno m — son-in-law
yo — I
yogur m — yoghurt

Z

zanahoria f — carrot
zapatería f — shoe shop
zapato m — shoe
zona f — area
zumo m — juice

GLOSSARY
ENGLISH–SPANISH

A

	a	un(-a)
	abbreviation	abreviatura f
	about to	a punto de
to	accept	aceptar
	accident	accidente m
to	accommodate	alojar
	accommodation	alojamiento m
to	accompany	acompañar
to	acknowledge	acusar
	activity	actividad f
	address	dirección f
	addressee	destinatario m
	adolescent	adolescente mf
	advanced	avanzado
	advantage	ventaja f
	advertisement	publicidad f
	advice	consejo m
to	advise	aconsejar
	after	después de
	afternoon	tarde f
	afternoon nap	siesta f
	against	contra
	ago	hace (+ *time*)
	agreed	de acuerdo
	air conditioning	aire acondicionado m
	air hostess	azafata f
	airport	aeropuerto m
	all	todo(-a)
	almost	casi
	alone	solo(-a)
	already	ya
	also	también
	always	siempre
	amusing	divertido(-a)
	anchovies	boquerones mpl
	and	y, e
	announcer	locutor m
to	annoy	molestar
	another	otro(-a)
	answer	contestación f
	anyway	de todos modos
	aperitif	aperitivo m
	appetiser	tapa f
	appointment	cita f
	appropriate	apropiado(-a)
	April	abril
	archery	tiro con arco m
	architect	arquitecto m
	area	zona f
	arm	brazo m
	around	alrededor de
	around there	por allí
to	arrange	concertar
to	arrange to meet	quedar con
	arrival	llegada f
to	arrive	llegar
	art	arte m

	article	artículo m
	artist	artista mf
the	arts	artes fpl
	as	como; ya que
	as far as	hasta
	as soon as	en cuanto
to	ask	rogar(ue)
to	ask for	pedir(i)
to	assure	asegurar
	at	en
	at home	en casa
	at last	por fin
	at least	al menos
	at once	en seguida
	at the end of	al final de
	at the moment	de momento
	athlete	atleta mf
	athletics	atletismo m
to	attend	asistir
	August	agosto
	aunt	tía f
	autumn	otoño m
	available	disponible
	avocado	aguacate m

B

	bad	malo(-a)
	badly	mal
	bag	bolsa f
	baker's	panadería f
	bald	calvo
	banana	plátano m
	bank	banco m
	bar	bar m
	barbecue	barbacoa f
	bath	baño m
	bathing-costume	bañador m
	bathroom	cuarto de baño m
to	be	ser; estar
to	be able to	poder(ue); saber
to	be accustomed to	soler(ue)
to	be called	llamarse
to	be cold	tener frío
to	be delighted	alegrarse
to	be hot	tener calor
to	be hungry	tener hambre
to	be in a hurry	tener prisa
to	be lacking	faltar
to	be over	sobrar
to	be right	tener razón
to	be thirsty	tener sed
to	be worth	valer
	beach	playa f
	beard	barba f
to	beat	batir
	because	porque
to	become	ponerse
	bed	cama f
	bedroom	dormitorio m; habitación f
	beer	cerveza f
	before	antes de
	behind	detrás de

	Belgium	Bélgica
to	believe	creer
	belt	cinturón m
	besides	además
	best	mejor
	best wishes	felicidades
	better	mejor
	between	entre
	bicycle	bicicleta f
	big	grande
	biggest	mayor
	bill	cuenta f
	bird	pájaro m
	birthday	cumpleaños m
	black	negro(-a); (coffee) solo
	blinds	persianas fpl
	blonde	rubio(-a)
	blue	azul
	boarding-house	pensión
	boat	barco m
	body	cuerpo m
	book	libro m
	bookshop	librería f
	boring	aburrido(-a)
to	borrow	pedir(i) prestado
to	bother	molestar
	bottle	botella f
	bottom	fondo m
	boy	chico m
	boyfriend	novio m
	brackets	paréntesis m
	brandy	coñac m
	bread	pan m
	bread roll	panecillo m
	break	descanso m
to	break	romper
	breakdown	avería f
	breakfast	desayuno m
	bridge	puente m
	brilliant	genial
to	bring	traer
	broth	caldo m
	brother	hermano m
	brown	marrón
	bug	bicho m
	built	construido(-a), edificado(-a)
	bullring	plaza de toros f
	bump	golpe m
	bunk bed	litera f
	bus	autobús m
	bus-stop	parada f
	businessman	hombre de negocios m
	busy	ocupado(-a)
	but	pero; sino
	butcher's	carnicería f
to	buy	comprar
	by	por
	by the way	a propósito

C

	café	café m
	cafeteria	cafetería f
	cake	pastel m
	calm	tranquilo(-a)
	campsite	camping m
	can	poder(ue)
	can	lata f
to	cancel	anular, cancelar
	car	coche m
	caramel custard	flan m
	care	cuidado m
	careful!	¡cuidado! m
	carpark	aparcamiento m, parking m
	carpet	moqueta f
	carrot	zanahoria f
	cartoon	dibujo animado m
	cash dispenser	cajero automático m
	cash on delivery	contra reembolso
to	catch	coger
	cathedral	catedral f
	cauliflower	coliflor f
to	celebrate	celebrar
	centre	centro m
	change	cambio m
to	change	cambiar
to	chat	charlar
	cheap	barato
to	cheer up	animarse
	cheese	queso m
	chemist's	farmacia f
	chicken	pollo m
	children's playground	parque infantil m
	chop	chuleta f
	chore	tarea f
	cinema	cine m
	city	ciudad f
to	clarify	aclarar
	class	clase f
	classical	clásico(-a)
to	clean	limpiar
	cleaner	asistente m, asistenta f
	clear	claro
	climate	clima m
	clinic	clínica f
	cloakroom	aseo m
	clock	reloj m
	closed	cerrado(-a)
	clothes	ropa f
	cloud	nube f
	cloudy	nublado
	club	club m
	coach	autocar m
	coffee	café m
	coin	moneda f
	coincidence	casualidad f
	cold	frío
to	collect	coleccionar
	colour	color m
to	come	venir
to	come to	acudir a
	comfortable	cómodo
	comforts	comodidades fpl
to	communicate	comunicar
	community	comunidad f
	company	compañía f
	complaint (formal)	reclamación f
	complaint (informal)	queja f
to	complete	completar
	computer	ordenador m
	conference-room	sala de congresos f
to	confirm	confirmar
to	congratulate	felicitar
to	continue	continuar
to	continue	seguir(i)
	cool	fresco
	cool!	¡guay!
to	copy	copiar
	correct	correcto
to	cost	costar(ue)
	country	país m
	course	curso m
	courtyard	patio m
	cousin	primo(-a)
to	crash	chocar
	credit card	tarjeta de crédito f
	crime	crimen m
	croissant	cruasán m
to	cross	cruzar
	crossword puzzle	crucigrama m
	cucumber	pepino m
	curiosity	curiosidad f
	curious	curioso
	currency	moneda f
	cycling	ciclismo m

D

	daily	diario
	dance	baile m
to	dance	bailar
	dark-haired	moreno(-a)
	date	fecha f
	daughter	hija f
	daughter-in-law	yerna f
	day	día m
	dear	querido(-a)
	Dear madam	Muy señora mía
	Dear sir	Muy señor mío
	decaffeinated coffee	descafeinado m
	December	diciembre
to	delay in	tardar en
	delegate	delegado(-a) mf
	delicious	delicioso
	Denmark	Dinamarca
	dentist	dentista mf
	department	sección f
	department store	grandes almacenes mpl
	departure	salida f
to	depend	depender

	deposit	entrada f
	dessert	postre m
	detached house	chalet m
	detail	detalle m
	detailed	detallado(-a)
	development	desarrollo m
	dialogue	diálogo m
	diary	agenda f, diario m
to	die	morir(ue)
	diet	dieta f
	dining room	comedor m
	direction	dirección f
	disaster	desastre m
	discotheque	discoteca f
	discount	descuento m
	dish	plato m
	dishwasher	lavaplatos m
	district	barrio m
to	do	hacer
	doll	muñeca f
	dominoes	dominó m
	double	doble
	doughnut	donut m
	downstairs	abajo
	draught beer	caña f
to	draw	dibujar
	drawing	dibujo m
	dream	sueño m
	drugstore	droguería f
	dry	seco(-a)
	dubious	dudoso(-a)
	duly	debidamente
	during	durante
	dust	polvo m

E

	ear; hearing	oído m
	early	temprano
to	earn; to win	ganar
	east	este m
to	eat	comer
	éclair	relámpago m
	Edinburgh	Edimburgo
	egg	huevo m
	eight	ocho
	eighteen	dieciocho
	eighth	octavo(-a)
	eighty	ochenta
	eldest	mayor
	electric fire	estufa eléctrica f
	electrician	electricista m
	electricity	electricidad f
	elegant	elegante
	eleven	once
to	enchant	encantar
to	enclose	adjuntar
	end	fin m
	energy	energía f
	engineer	ingeniero(-a)
	English	inglés, inglesa
to	enjoy	disfrutar
	enough	bastante
	entertainments	cartelera f

guide		
entrance	entrada f	
envy	envidia f	
equal	igual	
European	europeo(-a)	
evening	tarde f	
evening meal	cena f	
everything	todo(-a)	
exactly	exactamente	
examination	examen m	
example	ejemplo m	
excellent	excelente	
exchange	intercambio m	
to exchange	cambiar	
excursion	excursión f	
exercise	ejercicio m	
exhibition	exposición f	
expensive	caro	
eye	ojo m	

F

face	cara f	
to fail to	dejar de	
to fall	caer	
to fall over	caerse	
false	falso(-a)	
family	familia f	
family tree	árbol genealógico m	
famous	famoso(-a)	
to fancy	apetecer	
far from	lejos de	
farm	finca f	
farmer	granjero m	
fast	rápido(-a)	
fat	gordo	
fat (grease)	grasa f	
father	padre m	
father-in-law	suegro m	
favourite	favorito(-a)	
to fear	temer	
February	febrero	
to feel	sentir(ie)	
fencing	esgrima f	
festival	fiesta f	
fiancée	novia f	
fifteen	quince	
fifth	quinto	
fifty	cincuenta	
figure (body)	línea f	
to fill in	rellenar	
filling (in tooth)	empaste m	
film	película f	
to finish	acabar, terminar	
fire	fuego m	
fireman	bombero m	
fireplace	chimenea f	
firm	empresa f	
first	primero(-a)	
fish	pescado m	
five	cinco	
five hundred	quinientos(-as)	
flight	vuelo m	
floor	suelo m	

floor (storey)	planta f; piso m	
floor tile	baldosa f	
flour	harina f	
flower pot/bed	maceta f	
to fly	volar	
fog	niebla f	
to follow	seguir(i)	
following	siguiente	
fond of	aficionado(-a) a	
food	alimentos mpl	
food	comida f	
foot	pie m	
football	fútbol m	
for	para, por	
for example	por ejemplo	
forbidden	prohibido	
forecast	pronóstico m	
foreign	extranjero(-a)	
to forget	olvidarse	
form	formulario m	
forty	cuarenta	
four	cuatro	
fourteen	catorce	
fourth	cuarto(-a)	
frankly	francamente	
free	libre	
free (non-paying)	gratis	
French	francés, francesa	
fresh	fresco	
Friday	viernes	
fridge	nevera f	
friend	amigo(-a)	
from	de; desde	
fruit	fruta f	
fruit shop	frutería f	
frying-pan	sartén f	
full	lleno, completo	
full board	pensión completa	
furniture	muebles mpl	

G

garden	jardín m	
garlic	ajo m	
generally	por lo general	
generous	generoso(-a)	
gentleman	señor m	
German	alemán, alemana	
to get angry	enfadarse	
to get bored	aburrirse	
to get married	casarse con	
to get oneself ready	arreglarse	
to get up	levantarse	
gift	regalo m	
girl	chica f	
girlfriend	novia f	
to give back	devolver(ue)	
glass; drink	copa f	
to go	ir	
to go away	irse	
to go out	salir	
to go shopping	ir de tiendas	
to go to bed	acostarse(ue)	
golf course	campo de golf m	
good	bueno(-a)	

good afternoon	buenas tardes	
good evening	buenas noches	
good morning	buenos días	
good-looking	guapo(-a)	
goodbye	adiós	
granddaughter	nieta f	
grandfather	abuelo m	
grandmother	abuela f	
grandson	nieto m	
grape	uva f	
graphic	gráfico	
gratitude	agradecimiento m	
Greece	Grecia	
Greek	griego(-a)	
green	verde	
greengrocer's	verdulería f	
greeting	saludo m	
grey	gris	
grilled	a la plancha	
grocer's	tienda de comestibles f	
to grow	cultivar	
guarantee	garantía f	
guaranteed	garantizado	
guarded	vigilado	
guide(book)	guía f	
guitar	guitarra f	
gymnastics	gimnasia f	

H

hair	pelo m	
hair-drier	secador de pelo m	
hairdresser	peluquero(-a)	
half	medio(-a); mitad f	
ham	jamón m	
hand	mano f	
handbag	bolso m	
to happen	pasar	
happiness	felicidad f	
happy	feliz	
harbour	puerto m	
hard	duro	
hardware store	ferretería f	
hat	sombrero m	
to hate	odiar	
to have	tener; haber (see Unidad 12)	
to have a good time	pasarlo bien	
to have just …	acabar de …	
to have to	tener que, deber	
he	él	
head	cabeza f	
health	salud f	
to hear	oir	
heart	corazón m	
heat	calor m	
heating	calefacción f	
heavens!	¡caramba!	
heel	talón m	
heir	heredero m	
hello!	¡hola!	
her (possessive)	su	
here	aquí	
hers	suyo	

high	alto	
high jump	salto alto m	
his	su; suyo(-a)	
Hispanic	hispánico(-a)	
history	historia f	
hobby	hobby m	
hole	hoyo m	
Holland	Holanda f	
home	hogar m	
homework	deberes mpl	
to hope	esperar	
hospital	hospital m	
hotel	hotel m	
hour	hora f	
house	casa f	
household	menaje m	
household appliance	electrodoméstico m	
housewife	ama de casa f	
housing	vivienda f	
how many?	cuántos?	
how much?	cuánto?	
how?	cómo?	
however	sin embargo	
hundred	ciento	
husband	marido m	

I

I	yo	
I would like	quisiera	
ice-cream	helado m	
idea	idea f	
ideal	ideal	
identity card	carnet de identidad m	
if	si	
immediatly	inmediatamente	
to improve	mejorar	
in	en	
in order to	para	
to include	incluir	
included	incluido	
incredible	increíble	
to indicate	indicar	
to inform	comunicar	
information	información f	
information technology	informática f	
instant	instantáneo(-a)	
interest	interés m; afición f	
to interest	interesar	
interpreter	intérprete mf	
intonation	entonación f	
Irish	irlandés, irlandesa	
to iron	planchar	
isn't it?	verdad?	
Italian	italiano(-a)	

J

January	enero	
Japanese	japonés, japonesa	
jar	tarro m	
jeans	vaqueros mpl	

jeweller's	joyería f, bisutería f	
job	profesión f, empleo m	
joke	chiste m	
journalist	periodista mf	
journey	viaje m	
juice	zumo m	
July	julio	
June	junio	

K

key	llave f	
kilometre	kilómetro m	
kind	amable	
king	rey m	
kiosk	quiosco m	
kitchen	cocina f	
to know	conocer; saber	

L

lady	señora	
lamb	cordero m	
language	lengua f, idioma m	
last	último	
late	tarde	
to laugh	reir(i)	
lawyer	abogado m	
lazy	perezoso	
leaflet	foleto m	
to learn	aprender(ie)	
leather	piel f	
to leave	dejar; marcharse	
left	izquierda f	
lemon	limón m	
less	menos	
to let	dejar	
letter	carta f	
lettuce	lechuga f	
life	vida f	
lift	ascensor m	
to light	encender(ie)	
lightning	relámpago m	
like	como	
limited	limitado	
line	línea f	
liquid	líquido m	
list	lista f	
to listen	escuchar	
to live	vivir	
loaf	barra f	
lobster	langosta f	
London	Londres	
long	largo(-a)	
long jump	salto largo m	
to look (at)	mirar	
to look after	ocuparse de	
to look for	buscar	
lottery	lotería f	
lounge	salón m	
to love	querer(ie)	
low	bajo	
lunch	almuerzo m	
luxury	de lujo	

M

machine	máquina f	
magazine	revista f	
magnificent	magnífico	
to make	hacer	
to make a change	variar	
to make a mistake	equivocarse	
to make an appointment	citarse	
man	hombre m	
to manage to	llegar a	
many	muchos(-as)	
March	marzo	
market	mercado m	
married	casado(-a)	
marvellous	estupendo, fenomenal	
match	partido m	
to match	emparejar	
matter	asunto m	
May	mayo	
meal	comida f	
meanwhile	mientras tanto	
meat	carne f	
meat balls	albóndigas fpl	
medium	mediano	
to meet	reunirse	
melon	melón m	
member	miembro m	
menu	carta f	
method	modalidad f	
microwave oven	microondas m	
midday	mediodía m	
midnight	medianoche f	
milk	leche f	
millionaire	millonario(-a)	
mine	mío(-a)	
minute	minuto m	
Miss	señorita	
mistake	error m	
mixed	mixto(-a)	
mixture	mezcla f	
modern	moderno(-a)	
moment	momento m	
Monday	lunes	
money	dinero m	
month	mes m	
monument	monumento m	
more	más	
morning	mañana f	
Morrocco	Marruecos	
mortgage	hipoteca f	
mother-in-law	suegra f	
motorway	autopista f	
mountain	montaña f	
mountain range	sierra f	
moustache	bigote m	
mouth	boca f	
Mr	señor	
Mrs	señora	
much	mucho(-a)	
museum	museo m	
mushrooms	champiñones mpl	
music	música f	

mussels	mejillones mpl
must	tener que, deber
my	mi

N

	name	nombre m
	nationality	nacionalidad f
	naturally	naturalmente
to	need	necesitar
	never	nunca
	new	nuevo
	New Zealand	Nueva Zelanda
	news	noticias fpl
	newspaper	periódico m
	next	próximo(-a)
	next (then)	luego, a continuación
	next to	al lado de
	night	noche f
	nine	nueve
	nineteen	diecinueve
	ninety	noventa
	ninth	noveno(-a)
	no	no; (not any) ninguno
	no-one	nadie
	none	ninguno(-a)
	nonsense!	¡qué va!
	north	norte m
	Norway	Noruega
	nose	nariz f
	not	no
	not at all	de nada
to	note down	apuntar
	note; mark	nota f
	nothing	nada
	notice of receipt	aviso de recibo m
	November	noviembre
	now	ahora
	nowadays	hoy en día
	number	número m
	nurse	enfermero(-a)

O

	objective	objetivo m
to	obtain	conseguir(i)
	occasion	ocasión f
	October	octubre
	octopus	pulpo m
	of	de
	of course	claro
	office	oficina f
	often	a menudo, muchas veces
	OK	vale
	old	viejo(-a)
	olive	aceituna f
	omelette	tortilla f
	on	en
	on foot	a pie
	on holiday	de vacaciones
	on offer	de oferta
	on the dot	en punto
	one	uno(-a)

	onion	cebolla f
	only	sólo
	only child	hijo(-a) único(-a) m(f)
	open air	aire libre m
	opera	ópera f
	opinion	opinión f
	opportunity	ocasión f
	opposite	enfrente
	or	o, u
	orange	naranja f
	order	orden f
to	order	pedir(i)
	other	otro
	our	nuestro
	ours	nuestro
	out of doors	fuera
	outside	fuera de
	outskirts	afueras fpl

P

	pair	par m
	parallel	paralelo
	parents	padres mpl
	park	parque m
	part	parte f
	partnership	asociación f
	party	fiesta f
to	pass	pasar; aprobar(ue)
	passion	pasión f
	passport	pasaporte m
	pasty	empanadilla f
	patisserie	pastelería
to	pay	pagar
	payment	pago m
	peanuts	cacahuetes mpl
	pepper	pimiento m
	per	por
	perfect	perfecto(-a)
	perhaps	quizás
	person	persona f
	philosophy	filosofía f
	photography	fotografía f
to	pick up	recoger
	piece	pieza f
	pink	rosa
	pity	pena f, lástima f
	place	lugar m, sitio m
	plan	plan m
	plastic	plástico(-a)
	play	obra f
to	play	jugar(ue)
	pleasant	agradable
	please	por favor
to	please	gustar
	pleasure	placer m, gusto m
	plot (of land)	parcela f
	plumber	fontanero m
	plus	más
	points of compass	puntos cardinales mpl
	police	policía f
	police station	comisaría f
	poor	pobre

	pork	cerdo m
	pork kebab	pincho moruno m
	portion	ración f
	post office	Correos mpl
	post, job	puesto m
	postcard	postal f
	postman	cartero m
	pound sterling	libra esterlina f
	powder	polvo m
	prawns	gambas fpl
to	prefer	preferir(i)
	pressure	presión f
	pretty	bonito(-a)
	price	precio m
	priest	cura m
	prince	príncipe m
	princess	princesa f
	printed matter	impreso m
	private	privado
	problem	problema m
	profession	profesión f
	programme	programa m
to	progress	adelantar
	pronunciation	pronunciación f
	proverb	refrán m
	public phone booths	locutorio m
	purchases	compras fpl
	purse	monedero m
to	put	poner
to	put in	meter
to	put on	ponerse
	puzzle	rompecabezas m

Q

	quality	calidad f
	quarter	cuarto, m
	queen	reina f
	quite	bastante

R

	radio	radio f
	rain	lluvia f
to	rain	llover(ue)
to	read	leer
	receipt	recibo m
	recently	recientemente
	reception	recepción f
	receptionist	recepcionista mf
	recipe	receta f
to	recommend	recomendar(ie)
	record	disco m
	record card	ficha f
	red	rojo; (wine) tinto
to	refresh	refescar
	region	región f
	registered (post)	certificado(-a)
to	regret (to be sorry)	sentir(ie)
	relation	pariente mf
to	remain	quedar
to	remember	recordar(ue); acordarse(ue)
to	repair	reparar
to	repeat	repetir(i)

report	informe m	
report (for police)	denuncia f	
representative	delegado(-a) mf	
reservation	reserva f	
to reserve	reservar	
rest	descanso m	
to rest	reposar	
restaurant	restaurante m	
retired	jubilado(-a)	
return	regreso m	
return (ticket)	ida y vuelta	
to return	volver(ue), regresar	
rich	rico(-a)	
right	derecha f	
ripe	maduro(-a)	
river	río m	
road	carretera f	
roast	asado(-a)	
robbery	robo m	
room	cuarto m, habitación f	
round	redondo(-a)	
routine	rutina f	
rowing	remo m	
royal	real	
running	corriente	
Russian salad	ensaladilla f	

S

safe	seguro	
safety box	caja fuerte f	
sailing	vela f	
Saint's day	santo m	
salad	ensalada f	
same	mismo, igual	
sandals	sandalias fpl	
sandwich	bocadillo m	
Saturday	sábado	
sausage	salchicha f	
sauce	salsa f	
to say	decir	
schoolmaster	maestro m	
Scotland	Escocia	
Scottish	escocés, escocesa	
sea	mar m	
seafood	mariscos mpl	
season	temporada f	
season	estación f	
seat	plaza f	
seated	sentado(-a)	
second	segundo(-a)	
section	sección f	
see you soon	hasta luego	
to see	ver	
self-governing	autónomo(-a)	
to sell	vender	
semi-detached house	chalet m	
to send	enviar, mandar	
sender	remitente mf	
sentence	frase f	
September	septiembre	
to serve	servir(i)	
service	servicio m	

set menu	menú del día m	
seven	siete	
seventeen	diecisiete	
seventh	séptimo	
seventy	setenta	
several	varios	
shade	sombra f	
to share	compartir	
she	ella	
ship	barco m	
shoe	zapato m	
shoe shop	zapatería f	
shooting	tiro m	
shop	tienda f	
shop assistant	dependiente (a) m(f)	
shopkeeper	tendero(-a)	
short	corto(-a)	
short	bajo(-a)	
shoulder	hombro m	
to show	mostrar(ue), enseñar	
shower	ducha f	
to shower	ducharse	
side	lado m	
sign	señal f	
to sign	firmar	
signal	señal f	
since	desde; puesto que	
singer	cantante mf	
single	individual	
single (ticket)	ida	
single (unmarried)	soltero(-a)	
sister	hermana f	
six	seis	
sixteen	dieciséis	
sixth	sexto(-a)	
sixty	sesenta	
size	talla f; (shoes) número	
ski-ing	esquí m	
skin	piel f	
sky	cielo m	
slide	tobogán m	
slow	lento(-a)	
small	pequeño(-a)	
smallest	menor	
to smile	sonreír(i)	
to smoke	fumar	
smoking (area)	fumador(a)	
snack	taco m	
to snow	nevar(ie)	
so many	tantos	
so much	tanto	
something	algo	
sometimes	algunas veces	
son	hijo m	
son-in-law	yerno	
song	canción f	
soul	alma f	
soup	sopa f	
south	sur m	
space	espacio m	
Spain	España	
Spanish	español	

to speak	hablar	
speaker	locutor m	
special	especial	
to spend	pasar (time); gastar (money)	
spicy	picante	
sport	deporte m	
squid	calamares mpl	
stamp	sello m	
star	estrella f	
starting from	a partir de	
station	estación f	
stationer's	papelería	
statue	estatua f	
to stay	quedarse	
steak	bistec m	
step	paso m	
stomach	estómago m	
stop-over	escala f	
story	historia f	
straight on	todo recto	
strawberry	fresa f	
street corner	esquina f	
stress	estrés m	
strip	tira f	
stroll	paseo m	
to study	estudiar	
stuffed	relleno	
subject	asignatura f	
success	éxito m	
sufficient	suficiente	
to suit	ir; convenir(ie)	
to suit	convenir	
summary	resumen m	
summer	verano m	
sun	sol m	
Sunday	domingo	
supplement	suplemento m	
to suppose	suponer	
sure	seguro	
surname	apellido m	
survey	encuesta f	
Sweden	Suecia	
to swim	nadar	
swimming	natación f	
swimming pool	piscina f	
swing	columpio m	
swiss roll	brazo de gitano m	
Switzerland	Suiza	

T

T-shirt	camiseta f	
table	mesa f	
tablet	pastilla f	
to take	tomar	
to take advantage of	aprovechar	
to take out	sacar	
to take pleasure in	complacerse en	
to take (size of shoes)	calzar	
tall	alto(-a)	
tart	tarta f	
taste	gusto m	
tasty	sabroso(-a)	
taxi driver	taxista mf	

	tea	té m
	teacher	profesor(a) mf
	telephone	teléfono m
to	telephone	telefonear
	television	televisión f
to	tell	decir
to	tell lies	mentir(i)
	ten	diez
	tennis	tenis m
	tenth	décimo(-a)
	terrace	terraza f
	than	que
to	thank	agradecer
	thank you	gracias
	that	ese, aquel
	that one	ése, aquél
	theatre	teatro m
	their	su
	theirs	suyo(-a)
	then	entonces
	there is/are	hay
	therefore	por eso
	they	ellos(-as)
	thing	cosa f
to	think	pensar(ie)
	third	tercero(-a)
	thirteen	trece
	thirty	treinta
	this	este
	this one	éste
	thousand	mil
	three	tres
	through	por
	thunder	truenom
	thunderstorm	tormenta f
	Thursday	jueves
	thus	así
	ticket	entrada f
	ticket	billete m
	ticket-window	taquilla f
to	tidy oneself up	arreglarse
	tight	apretado
	time	hora f; vez f (occasion)
	timetable	horario m
	tin	lata f
	tip	propina f
	tired	cansado(-a)
	to	a
	tobacconist's	estanco m
	together	juntos(-as)
	toilet	servicio m, aseo m
	tomato	tomate m
	tomorrow	mañana
	tongue-twister	trabalenguas m
	too	demasiado
	tour	circuito m
	towards	hacia
	towel	toalla f
	town	ciudad f; pueblo m
	town hall	ayuntamiento m
	town square	plaza f
	trade fair	feria f
	traffic-lights	semáforo m
	train	tren m

to	travel	viajar
	travel agent's	agencia de viajes f
	traveller's cheque	cheque de viaje m
	tree	árbol m
	tremendous	tremendo(-a)
	trousers	pantalones mpl
	true	verdad, correcto (-a)
to	try	intentar
to	try on	probar(ue)
	Tuesday	martes
	tuna	atún m
to	turn	torcer(ue)
	twelve	doce
	twenty	veinte
	twins	gemelos mpl
to	twist	torcer(ue)
	two	dos
	type	tipo m
	typical	típico(-a)

U

	umbrella	paraguas m
	unbearable	inaguantable
	uncle	tío m
to	understand	entender(ie), comprender
	unit	unidad f
	university	universidad f, facultad f
	until	hasta
	upset	nervioso(-a)
	upstairs	arriba
	urgent	urgente
to	use	usar, utilizar
	used to	acostumbrado(-a)
	useful	útil

V

	value	valor m
	variety	variedad f
	VAT	IVA m
	vegetable garden	huerta f
	vegetables	verduras fpl
	vehicle	vehículo m
	vermouth	vermú m
	very	muy
	video	vídeo m
	view	vista f
	village	pueblo m
	visit	visita f
to	visit	visitar
	voucher	vale m

W

to	wait	esperar
	waiter	camarero m
	Wales	País de Gales
	wallet	cartera f
to	want	querer(ie)
to	warm up	calentar(ie)
to	wash	lavar

	watch	reloj m
	water	agua (el) f
	we	nosotros(-as)
	weather	tiempo m
	wedding	boda f
	Wednesday	miércoles
	week	semana f
	weightlifting	pesas fpl
	welcome	bienvenido(-a)
	well	bien; pues …
	west	oeste m
	what?	¿qué?; ¿cuál?
	when	cuendo
	where	dónde
	where to?	¿adónde?
	which	que
	which?	¿cuál?; ¿qué?
	while	mientras
	white	blanco
	who?	¿quién?
	whole	entero
	why?	¿por qué?
	wife	señora f, esposa f
	wind	viento m
	wine	vino m
	winter	invierno m
to	wish	desear
	with	con
	without	sin
	woman	mujer f
	wonder	maravilla f
	wonderfully	de maravilla
	word	palabra f
	wordsearch	sopa de letras f
to	work	trabajar; funcionar (function)
	worse	peor
	worst	def. article + peor
to	wrap up	envolver(ue)
	wrestling	lucha libre f
to	write	escribir

Y

	yacht	yate m
	year	año m
	yellow	amarillo
	yes	sí
	yoghurt	yogur m
	you	tú; usted(es); vosotros(-as)
	young	joven
	youngest	menor
	your	tu; su; vuestro(-a)
	yours	tuyo(-a); suyo(-a); vuestro(-a)
	Yours faithfully	Atentamente
	youth hostel	albergue juvenil m

Z

	zero	cero